Lucette Boisseau
1960 est Boul. St Joseph
app. 12
LA1-8553

LA PIERRE
D'ACHOPPEMENT

François Mauriac
DE L'ACADÉMIE FRANÇAISE

LA PIERRE
D'ACHOPPEMENT

ÉDITIONS DU ROCHER
28, rue Comte Félix-Gastaldi, 28
MONACO

PRÉFACE

Lorsque au début de 1948, *je publiai*
la Pierre d'achoppement *dans les pre-*
miers numéros de la Table Ronde,
j'ignorais que l'Eglise songeât à dé-
finir le dogme de l'Assomption. Je
tiens à déclarer, dès le seuil de ce
livre, qu'il ne faut pas voir dans les
réserves que m'inspirent certains excès
du culte marial, une résistance au nou-
veau dogme. J'en ai accueilli la pro-
mulgation avec les sentiments d'un
catholique convaincu que l'Eglise en
matière de foi ne saurait ni se trom-
per, ni nous tromper. Mais je pense
aussi que l'Assomption de la Vierge ne

*légitime pas plus que ne le font ses
autres privilèges, les abus manifestes
que je dénonce ici. Elle les rend au
contraire plus gênants, plus dange-
reux, puisque le scandale qu'ils suscitent parmi « les adorateurs en esprit et en vérité » risque de rejaillir
sur cette dévotion si tendre et si
filiale à la Vierge, qui est essentielle
à la piété catholique.*

*Je ne cherche d'ailleurs dans ces
pages qu'à manifester un état d'esprit.
J'y enregistre mes réactions de catholique sans préjuger leur valeur. Il se
peut qu'elles ne témoignent que contre
moi-même. Oserais-je avouer qu'à les
relire c'est moins leur audace qui me
frappe que la timidité avec laquelle je
les manifeste et tous les « repentirs »
dont je les fais suivre ? On m'a souvent reproché de ne pas user de cette
furieuse liberté dont ne se privaient*

*pas un Bloy, un Bernanos. C'est que
la foi de ces deux catholiques était
d'une étoffe autrement précieuse, d'un
tissu autrement serré que la mienne.
Ces visionnaires pouvaient tout se
permettre à l'intérieur d'une certitude
née de la contemplation. Le caractère
affectif de ma croyance, qui se manifeste par l'antipathie que m'a toujours
inspirée la théologie, m'interdit les
audaces où Bloy, et Bernanos se
laissent entraîner. Mais en voilà
assez pour que mes lecteurs comprennent que, dans ce petit livre, je ne
m'érige pas en juge de l'Eglise et que
c'est moi au contraire qui me livre
une fois de plus à leur jugement.*

LA PIERRE D'ACHOPPEMENT

On m'a souvent traité de Tartuffe
au cour de ma vie. *L'Action Française* et le Front populaire, et toute
la presse de la collaboration se sont
accordés pour reconnaître que j'avais
droit à cet outrage : Tartuffe ou
l'imposteur. Eh bien, je veux me
montrer beau joueur et accorder à
l'adversaire de Droite et de Gauche,
que c'est en effet de là qu'il convient
de partir. C'est la question que tout
croyant, quelle que soit sa croyance,
a le devoir de se poser à lui-même :
suis-je un imposteur ? est-ce que
j'adhère vraiment de tout mon cœur

et de tout mon esprit au Credo dont je fais profession, ou bien m'y suis-je rallié par habitude, parce que j'y suis né, pour les avantages que j'en tire ou pour ma commodité ? Ce cas de conscience s'impose aux chrétiens de toutes confessions, mais aussi aux politiciens de toute obédience, et singulièrement aux communistes, et plus encore à cette espèce de timides et prudents prosélytes perdus dans leurs calculs, qu'on appelle communisants.

Il y a bien des degrés dans l'imposture. La ruse grossière de Tartuffe installé chez Orgon, c'est le fait d'un escroc dont l'histoire serait sans aucune portée, s'il n'y avait justement le personnage d'Orgon. Vrai dévot, Orgon n'est-il pas aussi un imposteur véritable dans la mesure où il détourne, déforme, abaisse et désho-

nore la doctrine dont il se réclame et
à laquelle il croit les yeux fermés ?
Molière, prodigieux et inconscient
Tartuffe, triomphe aisément de ses
accusateurs, car il est bien vrai
que le héros de sa pièce est si
abject qu'on ne saurait le confondre
avec un vrai chrétien. Mais Orgon ?
l'inepte et féroce Orgon qui immole-
rait le monde entier à son confort
spirituel et à ses manies imbéciles ?
N'est-il pas, lui, un vrai dévot ?
Toute la question est de savoir ce
qui subsiste d'Orgon dans le chrétien que nous sommes.

Or, c'est précisément à Orgon que
s'en prend toujours l'adversaire des
chrétiens. On trouve rarement chez
lui l'analyse et la condamnation du
message évangélique, mais l'analyse
et la condamnation de l'usage qu'en
ont fait ceux qui s'en réclament.

Voilà le point : l'adversaire peut à la
fois avoir tort de parier que Dieu
n'est pas, et mettre dans le mille
lorsqu'il découvre et dénonce les
raisons basses que nous avons de
croire en Dieu. Que Jésus soit ou
non le Fils de Dieu ne change rien
à la médiocrité des motifs qui inci-
tent la plupart des chrétiens à
répéter les formules et à se plier
aux disciplines des Églises.

Mais la bassesse des raisons qui
fixent le choix des chrétiens ne signifie rien non plus contre la concep-
tion chrétienne de la vie. Lorsque
vous aurez prouvé que l'homme se
vide au profit de Dieu, qu'il projette hors de lui sa propre conscience devant laquelle il s'agenouille
en larmes et frappant sa poitrine,
lorsque vous nous aurez montré les
rebuts de l'humanité se jetant gou-

lûment sur ce Dieu qui se fait leur
pâture, et tous les refoulés sexuels,
et tous ces déchets abandonnés par
la marée de la vie sur une plage
rongée de néant et qui livrent à
l'Etre infini des corps infirmes et
ces cœurs mourant de faim dont le
monde ne veut plus (notre Dieu est
ce Pauvre qui se nourrit de restes…);
quand nous vous aurons accordé que
de Maistre et de Bonald à Bourget
et à Maurras, toute une famille
d'esprits a fourni à Karl Marx son
argument le plus fort, qu'avec les
voltairiens de la Restauration, de la
Monarchie de Juillet et du Second
Empire, ils ont cherché à extraire
du catholicisme un opium capable,
sinon d'endormir le peuple, du moins
de l'engourdir et de le discipliner ;
et dans l'ordre du grotesque, quand
vous m'aurez montré cette bour-

geoisie nantie du dernier siècle, qui
tenait tous ses papiers en ordre
pour une première classe éternelle,
ou ces gens de lettres fraîchement
convertis qui prospectent avec une
sorte de gloutonnerie méthodique
l'inépuisable gisement de la crédu-
lité et du mauvais goût des fidèles ;
quand nous vous aurons accordé tout
cela, nous ne vous aurons rien accordé
d'essentiel ni même d'important.

Car que prouve la bassesse des
raisons qui dictent le choix des
chrétiens, contre l'affirmation chrétienne ? Je n'examine pas s'il y a
plus de force et de courage dans un
Nietzsche qui parie pour la mort
de Dieu, que dans Pascal qui consent
à faire partie du petit nombre des
élus au sein d'une humanité vouée,
pour une immense part, au désespoir
éternel. Le problème posé n'en de-

meure pas moins sans réponse. Cette doctrine dramatique mise en pilules par les théologiens et ingurgitée de force, dans le monde entier, par les enfants du cathéchisme qui la revomissent aussitôt, n'eût-elle été pratiquée depuis l'Incarnation du Fils de Dieu que par quelques saints obscurs et par quelques héros inconnus ; et même, poussant le raisonnement à l'absurde, n'y aurait-il pas eu depuis le commencement du monde d'autre adorateur du Père en esprit et en vérité que le Fils de Dieu devenu le Fils de l'homme, cela ne changerait rien à cette affirmation que le Père est au ciel et que le Fils a été l'un de nous et qu'il nous a aimés, et qu'il nous aime : « Ce Dieu qui nous aimant d'une amour infinie... » et que ce n'est pas le supprimer que de le nier.

Le « Dieu est mort » de Zarathous-
tra oppose une affirmation à une
autre affirmation. Pour nous qui
sommes restés fidèles, ce qui nous
stupéfie à notre tour, c'est cette sorte
de motifs qui décident la plupart
des hommes à se détourner du seul
homme qui ait proclamé parlant de
lui-même, qu'il était la vérité venue
en ce monde, et qui s'acharnent
contre sa caricature, contre tout ce
qui le bafoue et qui le trahit sous
prétexte de le servir. Les hautes
raisons que nous avons de croire en
lui ne sont atteintes ni même effleu-
rées par la critique qu'ils instaurent
contre nos motifs médiocres ou ina-
vouables. Raisons de tous ordres
et qui toutes ne valent pas pour les
mêmes esprits. Raisons qui peut-être
sont déterminantes dans la mesure
où elles sont des impressions liées à

un certain tempérament ; chez les
artistes surtout : en ce qui me
concerne par exemple, ceci a toujours agi sur ma sensibilité, plus
peut-être que sur ma pensée : l'appa-
rition de la vie jaillie de la matière
éternelle, à un intervalle du temps
et de l'espace, et son développement,
depuis la cellule originelle, jusqu'à
ce visage sur l'écran du cinéma
de mon quartier, jusqu'à ce regard
d'enfant levé vers moi, jusqu'à ce
larghetto de Mozart, jusqu'à cette
ellipse de Rimbaud. Passer outre à
ce mystère, cela me paraît d'un
esprit aussi inconséquent que le
naufragé qui ne serait pas ému de
voir sur le sable l'empreinte d'un
pied humain. Mais cela ne serait
rien. Avec quelle légèreté nos contemporains liquident le « fait du
Christ », décident de n'en pas tenir

compte, s'en débarrassent sans examen et (sauf les spécialistes de la critique historique), supposant le problème résolu, laissent derrière eux cette croix dressée !

Qu'on me comprenne bien ; ce n'est pas qu'ils n'y puissent croire qui m'étonne, puisqu'elle est en effet déraisonnable et incroyable. Rien ne m'a jamais paru si ridicule, chez certains dévots, que la pitié méprisante qu'ils témoignent aux athées, comme si c'était la chose la plus simple du monde que d'admettre l'existence ds l'Être infini qui est quelqu'un à qui on parle et qui nous écoute et que nous pouvons manger et boire sous les apparences du pain et du vin. En revanche, ce dont je me scandalise, chez l'incroyant, c'est du rejet, même à titre d'hypothèse, c'est de cette sécurité dans la néga-

tion, de cette ruse plus ou moins
consciente pour ne pas entrevoir ce
que masque le décor à l'italienne de
la vieille Église mère, pour ne pas
tenir compte de ce que, de siècle en
siècle, les mystiques ont pressenti,
ou même touché (selon ce que saint
Jean écrivait déjà : « Ce que nos yeux
ont vu, ce que nos oreilles ont entendu, ce que nos mains ont touché
concernant le Verbe de la vie... »)
Je me scandalise de ce qu'ils ne se
demandent jamais : « Et si c'était
vrai, pourtant ? » du même ton que
nous nous demandons à nous-mêmes
aux heures de trouble et de doute :
« Et si ce n'était pas vrai ? » Ils ne
conviennent pas qu'ils ont contourné
l'obstacle sans le réduire Et qu'ils
ne nous renvoient pas la balle : car
nous autres, nous n'avons jamais
prétendu réduire leur obstacle à

eux : celui qu'ils dressent devant nous et qu'intrépidement notre foi survole. « Impossible que Dieu soit », nous comprenons ce que cela signifie.

« Impossibilité que Dieu soit, impossibilité que Dieu ne soit pas. » Il faudrait que les uns et les autres nous reconnaissions que nous sommes à égalité dans l'inconséquence ou dans l'acte de foi, et que nous parions également pour des raisons personnelles que seuls peuvent trouver valables les esprits de notre famille, que nous cédons à une évidence qui n'est pas communiquable à l'adversaire. Raisons de tous ordres, et dont je n'ai pas nié que quelques-unes, parmi les nôtres, sont assez misérables. Mais il en est d'autres, il en est une autre, qui échappe aux raisonnements et à la preuve, celle qui tient dans les trois

mots de cette première Épître de
saint Jean que j'ai déjà citée :
« Dieu est amour. »

Plus qu'aucun autre texte, cette
Épître joannique devrait rendre sensible à un incroyant le secret de la
foi individuelle, ce rapport personnel de la créature avec son Créateur.
L'once d'authenticité que peut con-
tenir la vie du chrétien le plus mé-
diocre se ramène à une once de cet
amour. Une vie de saint est une vie
d'amour, — d'un amour assez puis-
sant pour inventer, pour créer son
objet ? pour cristalliser autour d'un
mythe ? Ici, l'adversaire esquive ce
témoignage que, presque seul, Berg-
son a osé regarder en face et qui est
celui des grands mystiques dont le
nombre, la qualité, la succession
ininterrompue mériteraient l'exa -
men de ceux qui, sans doute, n'ont

jamais daigné en aborder la lecture :
Nietzsche qui proclame la mort de
Dieu refuse d'entendre la déposition
des témoins de Dieu. Il les récuse
comme cet ami qu'il renia parce
qu'il était devenu catholique, et
qu'il ne revit jamais. Cette vive
flamme d'amour, l'immense foule
des chrétiens médiocres la masquent,
s'interposent entre elle et des hommes que les circonstances de leur vie
et leur propre nature en ont tenus
éloignés, — et je n'hésite pas à
mettre au premier rang de cette foule
les écrivains dits catholiques qui
vivent de ce dont ils devraient
mourir. Qu'on se rassure : je ne vais
pas céder à cette facilité d'accabler
mes frères, ni moi-même. Les pires
pharisiens, on les trouve parmi cette
postérité de Léon Bloy, qui en sont
en même temps la menue monnaie.

Nous devons rendre cette justice
à l'adversaire : il retourne rarement
contre nous l'arme que nous lui li-
vrons ; il use peu de cet avantage de
nous montrer, sans rien ajouter, la
croix dont nous avons l'inconscience
de nous réclamer. Si j'avais à recommencer ma vie, je mettrais à dissimuler ma foi chrétienne autant de
soin que j'ai dépensé d'effort pour
la monter en épingle. Dans une existence toute donnée, comme celle des
païens, à l'avancement, à la réussite,
ou, sur un plan plus élevé, à la fic-
tion, à la création littéraire, aux
jeux de l'esprit, aux divertissements
supérieurs, confessons que la religion
ne saurait entrer que comme un agré-
ment, une manière de faire retraite,
un lieu de repos, une halte pour
reprendre souffle, une auge commode
où aller se nettoyer, de temps à autre,

de la crotte qu'une âme répandue dans le monde ramasse en une seule journée de Paris. Cela fait frémir de songer que dans toute la vie d'un homme qui a prétendu servir Mammon et Dieu, peut-être n'y a-t-il rien eu d'authentique du point de vue chrétien : les ferveurs qu'il a cru goûter, les impressions de paix après une communion, ce surnaturel silence, et même les pleurs de joie, peut-être tout cela ne vaut-il ni plus ni moins aux yeux de Dieu que les délices profanes dont nous nous sommes efforcés de tisser notre destin depuis que nous sommes nés à la vie consciente. Dans la honte du péché, dans le dégoût d'une créature assouvie qui mesure sa propre abjection, à cette minute-là seulement elle a pu se trouver dans les dispositions requises : c'est l'instant où le Sei-

gneur regarde ce lépreux à ses pieds,
ce paralytique qu'on dépose devant
lui ; entendons le sens profond de
la parole prêtée au Christ par l'auteur de *L'Imitation* : « Quand vous
croyez être loin de moi, c'est alors
souvent que je suis le plus près. »

Tous les raisonnements ne peuvent rien contre cette évidence que
le Christ, en termes clairs et réitérés,
se détourne de ceux qui crient :
« Seigneur ! Seigneur ! » et n'accomplissent pas sa volonté : cette volonté
que nous soyons crucifiés avec lui.
Évidence faite pour nous vouer au
désespoir, si en fait chacun de nous
n'était plus crucifié qu'il ne le sait
lui-même. Si vous cherchez dans
chaque homme la croix à la mesure
de sa destinée, vous finirez toujours
par la trouver. En chacun de nous,
une croix grandit en même temps

que nous-même, et c'est être sauvé
que de s'y étendre enfin de gré ou de
force avant notre dernier souffle.

Cette distance infinie entre la
croix et la plupart des vies qui se
proclament chrétiennes, n'est peut-
être pas moindre chez beaucoup de
personnes consacrées à Dieu, chez
celles surtout qui ne sont pas toutes
livrées à la foule comme leur Maître,
dont ce fut le secret de ne séparer
jamais la contemplation de l'action.
J'ai entrevu ce miracle, dans certaines âmes, d'une vie à la lettre
dévorée par les autres et qui ne
perdaient pour ainsi dire jamais le
sentiment de la présence divine. Il
ne suffit pas d'aspirer à la sainteté
pour devenir un saint. La plupart
des traits de ma « pharisienne », je
les ai observés chez des candidats à

la sainteté, d'ailleurs pleins de mérites et dont je n'eusse pas été digne
de dénouer la sandale. J'ai été se-
coué d'un rire intérieur en lisant
dans les *Souvenirs* d'Isabelle Rivière, touchant la chapelle des Béné-
dictines de la rue Monsieur, que
j'eusse dû trouver dans ce milieu
d'autres modèles que ceux de la
Pharisienne : or c'est précisément
là que ce personnage s'est imposé à
moi. Ici, je ravale ce que j'aurais à
dire, et, par exemple, qu'il existe un
snobisme des grands Ordres. Sans
doute étonnerait-on beaucoup certains religieux de certaines abbayes
si on leur démontrait que leur état
d'esprit n'est pas tellement différent
de celui des membres du Jockey.
Je n'ai fait qu'effleurer dans *La
Pharisienne* ce sujet de la fausse
sainteté, qui n'a rien à voir avec

l'imposture de Tartuffe, car elle résulte d'une recherche méritoire, et il va sans dire que tous les éléments n'en sont pas à rejeter. Tout se passe comme si la Grâce épousait bien moins que nous ne l'imaginons les formes visibles de l'apostolat chrétien. Elle agit en dessous, comme protégée par cette écorce de cellules en apparence mortes.

Les contempteurs de l'Église militante oublient que nos chefs spirituels ne sauraient être tenus pour responsables du fait que notre Église est l'Église de la fin des temps, qu'elle n'a été condamnée à s'établir et à s'organiser que parce que les temps n'en finissent pas, si j'ose dire, de finir. Le Christianisme, révolution absolue, renversement total (la mort du vieil homme, la naissance de l'homme nouveau) a dû s'adapter,

transiger, entrer dans la sinistre
farce d'un monde pour qui le Christ
n'a pas voulu prier, échanger avec
lui des ambassadeurs, entretenir des
ministres, avoir ses gardes, ses palais, s'entourer de cet appareil sur-
anné qui prête aux faciles diatribes.

Nous ne céderons pas à cette facilité. La pompe dont s'entoure la
hiérarchie catholique marque le point
de contact de la sainte liturgie,
qui est de tous les temps, avec le
siècle. Cet indéchirable tissu de
textes et de symboles s'achève en
une bordure, en une frange qui se
distingue mal du monde sans Dieu
où il faut bien qu'elle traîne. Il y a
quelque niaiserie, chez beaucoup de
Pharisiens qu'elle scandalise. En
revanche, il y a bien de l'idolâtrie
chez ceux qui mettent l'infini dans
ce périssable et qui, pour le sauve-

garder, ne reculent devant aucune
compromission avec les forces sécu-
lières. Le refus de s'adapter au
monde pour lequel Jésus n'a pas
voulu prier est à mes yeux le signe
d'une élection singulière : telle m'ap-
paraît la grandeur de Bernanos, qui
d'ailleurs ne présentait aucun des
caractères de la Sainteté officielle et,
si j'ose dire, classique : mais plus je
l'étudie et plus je reconnais que nous
avons perdu en cet inadapté un des
derniers témoins authentiques du
Christ vivant.

Ce qu'il faut oser regarder en face,
c'est cette vérité déplaisante pour
certains administrateurs de la Révélation, mais qui n'en est pas moins
la vérité, que le jour où les événements de l'Histoire détruiraient cette
frange brillante et ornée, comme le
voile du Temple fut déchiré en deux

après que le Seigneur eut poussé un grand cri, rien d'essentiel ne serait atteint dans l'Église, et qu'au contraire quelque chose d'essentiel qui était étouffé sous ces apparences pompeuses, d'un seul coup se trouverait peut-être délivré. Voilà ce qu'il importe de se dire et de se répéter lorsque l'angoisse nous prend. Dieu sait que je n'appelle pas ces événements, et qu'il est juste que l'Église en agonie dans le dénuement de ses cellules comme sous les lambris de ses palais, demande elle aussi au Père que ce calice s'éloigne ; car les temps de persécution déchaînent le crime et suscitent moins de martyrs que de renégats. Mais si l'horreur lui en devait être un jour imposée, il nous paraît évident qu'elle n'a rien à en redouter pour ce qui touche sinon à sa mission, du moins

à sa fin surnaturelle, alors qu'elle
aurait au contraire tout à craindre
d'une prospérité matérielle étayée
par la puissance militaire et finan-
cière d'un grand empire. Les chrétiens me paraissent être les seuls,
parmi les hommes, qui ont le droit
de considérer sans frémir les suprêmes catastrophes.

Où mènent les autres routes, nous
le savons aujourd'hui, puisque notre
génération se trouve établie à ce
rond-point où convergent toutes les
idéologies du dernier siècle : le
marxisme a été expérimenté en
Russie ; le scientisme obtient à Hiro-
shima, et dans les laboratoires de la
guerre microbienne, confirmation de
la promesse faite dès ses commen-
cements : « Vous serez semblables à
des dieux... » ; la religion du progrès
et de la perfectibilité humaine est

méditée à loisir par les survivants
des camps d'épouvante, par les « personnes déplacées » parquées dans
des baraques de triage et qui ont
laissé des cadavres d'enfants sous
les gravats de leurs villes détruites
(sans compter les martyrs des idéologies antagonistes dont regorgent,
au moment où j'écris, toutes les pri-
sons de l'Europe et tous les bagnes
de toutes les Russies). Socialistes,
communistes, anarchistes qui se bat-
tirent en Espagne et ailleurs pour
que l'homme n'exploite plus l'homme, connaissent aujourd'hui ce qu'il
est advenu du matériel humain au
pays de Nietzsche qui proclama la
mort de Dieu.

Et certes, nous avons pris notre
part, nous autres chrétiens, une part
immense, à cette abomination. Ne

soyons pas si hypocrites que de nous
en décharger sur les autres. Aussi mi-
thridatisé que je sois, j'avoue que je
serre encore les dents et les poings
à la lecture de certaines lettres,
presque toujours anonymes, où re-
vient le refrain des bien-pensants
contre « les francs-maçons et les
Juifs » coupé de louanges à soi-
même. Il faudrait avoir le courage
de commenter *l'Histoire des catho-*
*liques français au XIX*e *siècle* que
vient de publier Henri Guillemin, et
dont bien des pages, certes, sont
glorieuses : entre 1830 et 1848,
l'École menaisienne (sans Lamennais) avait gagné la partie, levé
l'hypothèque des hautes classes sur
l'Église, séparé sa cause de celle des
privilégiés, rétabli le contact entre
la classe ouvrière et Dieu. Et puis
le sauveur survint sous les apparen-

ces du Prince-Président qui entraîna
de nouveau le troupeau et qui cor-
rompit les meilleurs (Montalembert).
Et depuis le 2 décembre, derrière
qui ne se sont-ils pas engouffrés ?
Boulanger, Syveton, les hommes de
la *Patrie française*, puis ceux de
l'Action française, puis ceux des
ligues. Et ne parlons pas de ce qui
suivit. Certes, ils ne formèrent pas
le gros des troupes de Doriot. Mais
il reste qu'à l'antisémitisme, aux
diverses formes du nationalisme, et
singulièrement à celui qui se disait
intégral, une part, sinon le meilleur
de la jeunesse chrétienne, a été
livrée.

Quelle idée les catholiques se fai-
saient-ils de la presse, au début du
siècle ? J'y songeais en parcourant
une biographie du fondateur de « la
bonne presse ». J'admirais que ce

panégyrique fût sans aucune réserve.
J'étais un enfant, du temps de l'affaire Dreyfus, élevé par une mère
veuve et scrupuleuse, qui ne laissait
pénétrer chez elle que les « bons »
journaux. Nous nous délections du
Pèlerin et de *l'Almanach du Pèlerin*,
des histoires juives d'un certain
Raphaël Viaud, des caricatures dont
l'une m'est restée gravée dans l'esprit : un père montrait à son hideux
petit garçon des tableaux qui repré-
sentaient le baiser de Judas, Dreyfus
recevant un sac d'argent d'un offi-
cier prussien, et la légende était :
« Et toi, Chacob, qu'est-ce que tu
fendras quand tu seras crand ?

Que de temps m'aurait-il fallu
pour échapper à ce criminel détour-
nement de la conscience catholique,
si je n'avais eu le bonheur de ren-
contrer à dix-huit ans le *Sillon* et

Marc Sangnier ? Je ne lui suis resté
fidèle que quelques mois... mais ils
ont suffi : j'avais compris pour toujours. Et que ceux qui se réjouissent
d'avoir cassé les reins à la démocratie
chrétienne, ne triomphent pas trop
tôt. En dépit des erreurs, des insuf-
fisances, des fautes commises par
les hommes qui l'incarnent à une
époque donnée, elle n'en continue
pas moins historiquement l'effort de
cette petite troupe qui, entre 1814
et 1940, aura sauvegardé en France
le message évangélique, l'aura porté
« à bout de bras » au-dessus des
compromissions et des accapare-
ments : toujours le même petit
nombre de fidèles durant l'affaire
Dreyfus, comme pendant la guerre
d'Espagne, tenant le coup sous les
méprisantes insultes de Machiavel
— toujours le même heureusement

grossi, du temps de la résistance au nazisme, résolu à ne pas livrer ce que ses adversaires sacrifiaient sans vergogne. La démocratie chrétienne sera parvenue jusqu'à nous, à travers ces cent dernières années, aussi faible, aussi débile que cet enfant Tarcisius qui traverse l'Église primitive avec l'Eucharistie contre sa poitrine, et qui préfère mourir plutôt que de livrer ce Dieu qu'il porte caché sous sa tunique.

Le comportement des catholiques
à l'égard de la vérité dont ils ont
reçu le dépôt, c'est la seule question.
J'ai longtemps rêvé sur cette propo-
sition d'André Gide « que les catholiques n'aiment pas la vérité » —
non pour y répondre, ni (ce qui me
serait aisé) pour la réfuter en atta-
quant. Mais ce n'est pas mon propos
ici que de tenter des parades : il est
au contraire de ne parer ni de ne
me parer, dans aucun sens du mot ;
car je n'ignore pas ce que Gide veut
laisser entendre lorsqu'il affirme que
nous autres catholiques n'aimons
pas la vérité. Cette accusation, toute
fausse qu'elle est si nous la prenons

au pied de la lettre, je ne saurais nier qu'elle corresponde à un malaise qui m'est connu depuis que j'ai atteint l'âge d'homme, et qui a une cause jusqu'où il faut avoir le courage de remonter.

Au risque de scandaliser ? peut-être... mais avec l'espérance de rendre attentifs les chrétiens et surtout les prêtres et les religieux qui s'adonnent au ministère de la parole, à un travers dont les conséquences néfastes échappent à tout contrôle : si tant de garçons perdent la foi, ce n'est pas toujours pour des raisons basses. Il arrive qu'à l'église, une exigence de vérité soit lésée chez un jeune être, dès l'éveil de l'esprit critique. C'est un fait que la certitude métaphysique, leur assurance de détenir la vérité essentielle, rend certains de nos prêtres peu scrupu-

leux pour ce qui touche aux vérités
relatives.

« Il n'y a pas de pieux mensonges,
écrivait Bernanos à Amoroso Jima.
Lorsque des clercs, probablement
bien intentionnés — car l'esprit
clérical n'a pas varié — truffaient
d'interpolations nos textes sacrés,
dans le dessein de les faire rentrer
coûte que coûte dans leur système
apologétique, ils ne se doutaient
pas que la découverte de ces interpolations, quinze siècles plus tard,
mettraient l'Église au bord du dé-
sastre, perdrait des millions d'âmes. »

Comme ils tiennent le maître-mot
de l'humaine destinée, comme ils
sont embarqués à bord d'un bâti-
ment qui a reçu les promesses de ne
jamais périr, comme ils n'ignorent ni
leur origine divine, ni vers quel
amour ils retournent, ils ne s'inquiè-

tent plus guère de la valeur des
arguments dont ils usent pour persuader les autres de ce qu'ils savent
être vrai.

L'Église enseignante et l'Église
enseignée entretiennent l'une et l'autre parmi leurs membres, deux états
d'esprit différents et complémen-
taires. Les uns parlent du haut de la
chaire, comme ayant autorité, dans
la pensée que leur parole ne se distingue pas de celle de Dieu et avec
l'assurance de n'être jamais inter-
rompus, ni critiqués (croient-ils)
dans le secret des cœurs ; les autres
reçoivent la parole passivement,
comme le récipient reçoit l'eau. Il
n'est aucun endroit du monde où les
visages soient aussi inexpressifs
qu'aux messes tardives durant le
prône. L'absence de toute opposition
perceptible dans son auditoire, déve-

loppe chez le prédicateur l'habitude
de plier son raisonnement aux exi-
gences du but qu'il poursuit : jusqu'où ne pousse-t-il pas son audace
dans l'affirmation sans preuve ?

Beaucoup en sont venus à considérer dans la foi, la quantité, non la
qualité, et à la confondre avec la
puissance d'absorption. Pour eux,
un homme de beaucoup de foi est
un homme capable de tout croire les
yeux fermés. Un historien même
dévôt qui démontrera, par exemple,
que la légende du débarquement de
Lazare et de Madeleine en Provence
n'a commencé à prendre forme que
plus de mille ans après la Passion,
leur apparaîtra comme un chrétien
suspect ; comme un homme de peu
de foi.

Ces zélateurs de « la foi-quantité »
ont le sentiment qu'ils ne sauraient

aller trop loin dans l'hyperdulie,
dès qu'il s'agit de la Vierge. La dévotion *mariale* : dans ce néologisme,
tient toute la ratiocination théolo-
gienne appliquée à la créature bénie
entre toutes les femmes, que toutes
les générations ont proclamée bien-
heureuse, à la Mère des hommes.
C'est dans la mesure où nous aimons
la Vierge d'un ombrageux amour,
que nous souffrons de ces affirma-
tions toutes gratuites lancées du
haut de la chaire, qui subtilisent sur
les perfections et sur les privilèges
de Marie, sans autre preuve et sans
autre raison que certaines « conve-
nances». Nous avons entendu main-
tes fois des religieux proclamer en
chaire qu'il était impossible d'atteindre Jésus sans passer par Marie,
et les raisons qu'ils en donnaient
m'ont toujours paru être, je l'avoue,

de purs verbalismes. Le Christ nous
a enseigné le *Pater*, dont chaque
parole est une invitation à aller
directement à son Père, c'est-à-dire
à Lui puisque nous ne pouvons connaître le Père sans connaître le Fils.
C'est Lui et Lui seul qui est la porte
des brebis : l'a-t-il dit ou non ?
Comme si le prêtre qui consacre le
pain et le vin, comme si à l'instant
de la communion le fidèle, n'étaient
pas unis à leur Dieu sans qu'aucun
intermédiaire soit même imaginable !
Moi « et mon Créateur. » Ce seul mot
de Newman fait s'effondrer toutes
ces spéculations.

Mais que n'avons-nous entendu à
ce sujet, depuis notre enfance ? Il
s'agissait de nous persuader qu'il est
impossible d'aller trop loin, de trop
accorder de puissance à la Vierge, au
« bon plaisir » de ses interventions et

que tout excès dans cet ordre est non
seulement permis, mais recommandé.
Pourtant il semble absurde d'ima-
giner que ce qui n'est pas vrai puisse
honorer notre Mère et lui plaire, et
même ne pas lui faire horreur.
Comme s'il n'était rien de plus
prouvé, j'entendais récemment un
prédicateur attribuer à la toute-puissante intervention de Marie « la destruction de l'hérésie albigeoise ». Cet
homme dénué d'imagination n'hési-
tait pas à charger la Vierge très
Sainte de cette effroyable entreprise
à quoi ne saurait être comparée dans
l'Histoire que la proscription de la
race juive par Hitler.

Ce ne sont pas les dogmes du
catholicisme qui blessent la raison :
ils la déconcertent, ils ouvrent devant elle des gouffres, mais ils ne la
blessent pas. Ce qui révolte la raison,

ce sont les commentaires, les inven-
tions en marge du dogme, les ratio-
cinations, les retouches ; car certains,
dans les meilleures intentions du
monde, y donnent de discrets coups
de pouce. J'écoutais récemment un
prône sur le baptême. Il s'agissait
de persuader les fidèles qu'il importe
de ne pas retarder le baptême des
enfants et qu'il y va pour eux de la
vie éternelle. Après de pesantes
explications sur les « limbes » (il
serait si simple de demeurer muet
devant ce qui échappe à toute défi-
nition et même à toute approxima-
tion), le prédicateur en vint à la
formule « Hors l'Église, pas de salut » ; tout chrétien averti sait que
cela signifie : « Hors l'âme de l'Église
pas de salut. » On peut appartenir
à l'âme de l'Église sans appartenir à
son corps. Le prédicateur ne l'igno-

rait pas non plus, bien sûr ! Mais au
lieu de se réjouir d'avoir à rappeler
cette doctrine consolante qu'outre le
baptême de l'eau, il y a le baptême
de sang, le baptême de désir et que
tout homme non baptisé, mais de
bonne foi et qui a suivi la loi natu-
relle sera sauvé, notre orateur en
était visiblement gêné ; ce dont il
voulait nous persuader, c'était qu'il
croyait pratiquement impossible
qu'on pût être sauvé sans baptême :
« Dans les contrées païennes cela se
peut encore, disait-il, mais dans les
pays comme la France où l'Evangile
a été annoncé partout, il en va tout
autrement... » Contre-vérité évi-
dente : on a pu parler de la France
actuelle comme d'un pays de mission. Le nombre d'hommes qui aujourd'hui en Europe n'ont pas entendu parler du Christ, ou qui n'ont

pas dépassé la lettre morte du caté-
chisme, comment le calculer ? Je me
souviens, dans ma jeunesse, d'avoir
répondu à un prêtre qui devant moi
condamnait à l'enfer toute l'humanité sans baptême, que s'il disait
vrai, que si c'était là réellement la
doctrine de l'Église, je renoncerais
sur l'heure à la foi. Je dois reconnaître que cela suffit pour le ramener
à la vraie doctrine ; mais c'était dans
une conversation particulière. Je
n'eusse pu le réduire au silence si,
vêtu du surplis et du camail, il avait,
du haut de la chaire de vérité, voué à
la réprobation éternelle les quatre
cinquièmes de l'espèce humaine.

Il n'y a pas de petit mensonge
pour qui parle au nom de Dieu. On
ne se sert pas de la parole de Dieu,
on ne l'utilise pas. L'utilisation,
voilà le vice des clercs. La querelle

des indulgences était la manifesta-
tion d'un mal dont nous sommes
toujours atteints : il suffit de pénétrer dans une église, et cela crève
aussitôt les yeux. La réversibilité des
mérites, l'intercession perpétuelle de
l'Église triomphante en faveur de
l'Église militante, ce trésor mystique
dont l'Église a la garde et dont bénéficie l'Église souffrante, c'est une
réalité à laquelle je crois de toute
mon âme et sans aucune peine, —
mais la foi que j'ai en la communion
des saints me rend plus odieuse la
statue de saint Antoine de Padoue
mise à portée de la main de cette
vieille femme qui la frotte et la
tapote et la caresse avant de glisser
son offrande dans le tronc. Cette
complicité de notre Église avec les
formes les plus basses de la dévotion,
ce perpétuel déni de la parole : « Un

temps viendra et il est déjà venu où
les vrais adorateurs adoreront le
Père en esprit et en vérité », cette loi
tacitement admise que « nécessité
n'a pas de loi » et que les finances des
clercs doivent être alimentées par
les dévotions rémunératrices, cette
commercialisation de Thérèse de
Lisieux, la sainte enfant martyre,
toute cette part humaine, trop humaine de l'Église, témoigne-t-elle
contre le divin dont elle déborde ?
Eh bien ! non : c'est le contraire que
je crois.

Ces libertés incroyables qu'elle
prend, et le peu d'étonnement
qu'elles suscitent, et le sourire qui
accueille les allusions qu'on y fait,
comportent une certitude, une évidence : c'est que beaucoup de choses
sont permises dans la maison du
Père au fils légitime, à l'héritier qui

s'arroge le droit d'user et d'abuser.
C'est le fils de la servante qui ne peut
rien se permettre, c'est l'erreur qui
doit se tenir à carreau, qui s'engonce,
qui est condamnée à la rigueur,
surtout à la rigueur apparente, —
et parce qu'elle est l'erreur, sa
façade ne doit offrir aucune fissure,
aucun accès au scandale.

La vieille Église, la mère poule
aux ailes gonflées, sait bien que pro-
lifère sous ses plumes toute une vermine : superstitions, manies. Les
clercs qui l'administrent, qui vivent
dans la familiarité des signes sen-
sibles de la Grâce, de la matière des
sacrements, savent d'une expérience
quotidienne, que l'Église est faite
pour les hommes, non les hommes
pour l'Église. Tout ce qui les sou-
tient et les aide sur le chemin du ciel,
toutes les béquilles de la fausse dévo-

tion, ils ferment les yeux pour ne pas
les voir : ils savent que le mensonge *à
l'intérieur de la vérité*, n'est plus le
mensonge, — d'autant qu'ils savent
aussi d'une science sûre que depuis
des siècles s'accumule un trésor de
sainteté catholique dont le poids
l'emporte infiniment sur les déviations, sur les complaisances.

Le catholicisme ne peut être à
ce degré compromis dans l'humain,
enfoncé dans l'erreur humaine, que
parce qu'il se sait en contact de
toutes les minutes avec le Christ
vivant, avec *Ceci* qu'il fait chaque
matin (« faites ceci en mémoire de
moi ») par les mains de ces milliers de
prêtres sur toute la surface de la
terre. C'est parce que l'adoration du
Père en esprit et en vérité s'accom-
plit à chaque instant du jour et de
la nuit dans des milliers de cellules,

dans les chœurs innombrables des
couvents et des abbayes, et qu'elle
demeure l'état permanent d'une
foule immense de fidèles de tout
âge, de toute race et de toute condition, que la vieille Église mère se
soucie peu des parasites qui rongent
le manteau de pourpre qu'au jour de
son triomphe Constantin lui jeta sur
les épaules. Si le manteau de César
ne recouvrait pas sa nudité suppli-
ciée et divine, ce serait trop simple :
toute l'humanité tomberait à genoux,
l'Église ne serait plus un mystère.

C'est l'intérêt de la vermine, de
confondre l'Église avec ce velours
pompeux dont elle se nourrit... Mais
François d'Assise, Thérèse d'Avila,
Jean de la Croix, les âmes sans
nombre de leur famille ne sont attentifs qu'à ce qu'il recouvre. Ils voient
cette pourpre à demi dévorée, ils ne

s'indignent pas, ils comprennent, ils
excusent. J'avais tort de parler de
vermine : il faut entrer dans cette
charité de l'Église qui condescend à
la débilité humaine. La vieille femme
qui touche et qui caresse une statue
de plâtre, c'est la même qui, il y a
dix-neuf siècles, profitait de la cohue
pour toucher sans qu'il s'en aperçût
le manteau du Seigneur afin d'être
guérie. Et le Seigneur irrité dit :
« Une vertu est sortie de moi...
Qui me touche ? » Et tout de même
la pauvre femme fut guérie.

Non, tout cela n'est pas si simple.
Je m'exaspérais, l'an dernier, lorsque, pour répondre aux provoca-
tions d'un monde plus qu'aux trois
quarts séduit par le marxisme, par
l'existentialisme athée, par le pseudo-
surréalisme, les pieux barnums de la
sainte Église inventèrent cette tour-

née de Notre-Dame du Grand Retour. Cette réfutation par la statue à
quoi avait recours l'Église de Bona-
venture, de Thomas d'Aquin, de
Dominique, de Blaise Pascal, me
fâchait moins encore qu'elle ne
m'humiliait. Et puis un soir, j'ai vu,
rue La Fontaine, cette mer humaine,
au-dessus de laquelle voguait l'image
de celle qui selon saint Luc a prédit
tout ce qui lui est advenu : « *Et bea-
tam me dicent omnes generationes...* »
Cette statue, c'était la branche jetée
aux éphémères qui ne savaient où
se poser, où se prendre, le support où
s'accroche l'essaim. Car le Christ
n'est pas venu sauver seulement les
hommes capables de le découvrir
au bout d'un syllogisme, ou assez
attentifs pour discerner sa voix au
secret de leur pauvre cœur. Tout ce
qui est perdu doit être sauvé, et

ceux-là aussi, et ceux-là d'abord
peut-être, dont l'inguérissable enfance a besoin d'histoires et d'ima-
ges.

Ce que nous prenions pour un
mensonge n'était peut-être en défi-
nitive qu'une offensive de la vérité.
Il faut entrer dans le mystère de cet
abaissement, de cette humiliation
de l'Église. Jusqu'à la fin des temps,
le Christ incarné se met à la portée
même des imbéciles (au sens éty-
mologique du mot) ; car eux aussi
sont appelés, eux aussi doivent trouver leur pâture, là où un Pascal, un
Péguy l'ont trouvée.

Vous demanderez : « De quel droit écrivez-vous ces choses ? » Du droit d'un homme à son déclin qui ne veut pas s'en aller sans s'être interrogé, sans avoir mis au net sa vraie pensée sur ce qui touche à l'unique nécessaire ou plutôt sur ce qui en constitue, ici-bas, le commentaire humain, et sur les puissances qui l'administrent.

Qu'éprouve donc cet homme qui depuis l'enfance a grandi, a travaillé, souffert, aimé dans l'ombre immense qu'étend l'Église sur une vie ? Vénération ? irritation ? Il faudrait oser dire : une vénération

irritée. Nos sentiments à ce sujet
sont presque toujours d'ailleurs un
héritage. Mon père irréligieux, ma
mère catholique passionnée, n'ont
jamais cessé de s'opposer en moi, où
j'ai toujours discerné un goût sensible, un penchant attendri pour
tout ce que mon père combattait, et
parfois de brusques rages contre
tout ce que ma mère vénérait. Si
mon père n'était pas mort quelques
mois après ma naissance, s'il m'avait
élevé, m'aurait-il introduit dans une
construction logique où j'aurais appris à me passer de Dieu ? Ce cœur
d'enfant follement sensible à Dieu
eût-il fini par s'accorder à la dialec-
tique d'un univers sans Dieu ? Au
déclin de la vie, il n'est pas de question plus vaine que celle-là, et pourtant plus obsédante : ma destinée
eût-elle été autre, si telle ou telle

donnée, au départ, avait été diffé-
rente? La foi, ce que la plupart des
chrétiens appellent la Foi, et qui
n'est, au vrai, pour beaucoup qu'une
adhésion sans examen aux formules
qui leur ont été serinées dès l'enfance, tient-elle uniquement, en ce
qui me concerne, à des conjonctures, à la mort prématurée de mon
père, à la dévotion ardente d'une
mère elle-même saintement dirigée
par ce Religieux que je ne connais-
sais que de vue, parce qu'on me
l'avait montré une fois dans la rue,
où il glissait le long des maisons, le
regard tourné vers le dedans, étranger à tout le visible ?

Ce que fut ma religion, dans l'enfance et l'adolescence, un texte de
moi peu connu l'exprime, — un texte
dur (je me souviens qu'il avait terri-
fié Jacques Maritain) et qui sert de

préface à une réédition de mon premier poème : *Les mains jointes*, aux environs des années 25, alors que j'étais un être vulnérable, ballotté à la surface de ce brillant et immonde Paris d'après la grande guerre. Texte presque introuvable aujourd'hui, et que je vais reproduire ici parce qu'il circonscrit un drame qui fut mien, mais qui ne m'est pas personnel bien qu'il ne ressemble à aucun autre. Voici donc ce bref réquisitoire d'un chrétien lucide contre lui-même.

« Si jamais je n'ai consenti jusqu'à ce jour à rééditer *Les mains jointes*, c'était sans doute que j'avais en horreur ces vers sans vertèbres, ces poèmes flasques. Mais enfin le goût que Barrès éprouva, quelque temps, pour eux, aurait dû me désarmer. Le vrai, c'est que je ne hais point

seulement dans ce petit livre une
technique, j'en déteste surtout l'esprit. Cette adolescence lâche, apeu-
rée, repliée sur soi, je la désavoue.
Non que je renie ma foi de ce temps-
là, pas plus que je ne renie ma poésie ;
mais ma façon de croire valait ma
façon de rimer : quelle facilité ! Un
enfant qui a peur de tout renifle de
l'encens, tire des sacrements une
émotion, des cérémonies une jouis-
sance ; sa couardise devant la vie
trouve là des prétextes édifiants ; il
donne à sa lassitude des raisons
métaphysiques. Rien n'use plus sûre-
ment Dieu dans une âme que de
s'être servi de lui au temps des
années troubles : la moins péril-
leuse façon de s'émouvoir, voilà sans
doute ce que cherchait dans la religion ma vingtième année.

« Malgré tout ce qu'on peut dire

contre le Jansénisme, il avait pour
lui de rendre impossible cette dévotion jouisseuse, cette délectation
sensible à l'usage des garçons qui
n'aiment pas le risque. Dès l'abord,
il vous engageait dans une redoutable aventure : dans le « Seigneur,
je vous donne tout » de Pascal.
Adolescent, j'ai fait de Dieu le
complice de ma lâcheté ; qui sait si
ce n'est pas là le péché contre
l'Esprit ? En tout cas, l'Esprit ter-
riblement se venge à l'heure où la
vie soudain attaque l'homme né
tard de l'adolescent veule. Quel
secours trouvera-t-il dans cette religion qui ne lui fut jamais qu'une
source de faibles délices ? *Les mains
jointes* gâchent d'avance cette res-
source infinie dont l'enfant aura
besoin lorsqu'il sera devenu un homme ; elles dilapident un capital im-

mense ; tout se perd en fumée d'encens. Malheur au garçon dont les
clous, l'éponge de fiel, la couronne
d'épines furent les premiers *jouets.* »

Cet aveu dénué d'artifice déborde
mon cas particulier : je stigmatise
ici l'usage qu'a fait de la croix un
enfant poète, — mais trop de chrétiens en usent de même selon les
mœurs de l'espèce à laquelle ils
appartiennent : la femme qui, de sa
vieille patte de lézard, tripote le
saint Antoine de Padoue en plâtre
que l'Église met à sa portée, cherche
sa délectation, comme la cherche
peut-être la savante dévote que
j'observe, dans une chapelle bénédic-
tine, avec son rituel hérissé de si-
gnets, en quête de l'oraison ou de
l'hymne : que j'en connais de ces
élus qui, embusqués dans l'arche et

sauvés du déluge, accomplissent le
plus commodément qu'ils peuvent
leur voyage vers une éternité de
bonheur, sans que la gâche par
avance l'idée de l'éternelle réprobation d'une foule immense de leurs
frères !

Cette dévotion sensible et jouisseuse dénonce la place qu'occupe au
cœur même de la sainte Église le matérialisme qu'elle a reçu mission de
combattre et pourtant qu'elle abrite,
en dépit d'elle-même et sans qu'on
lui en puisse faire grief, — matérialisme camouflé, plus redoutable mille
fois que celui qui éclate dans ses
structures apparentes ; car celles-là
ne sauraient tromper personne : les
entreprises humaines, les chemine-
ments et les ruses de la diplomatie,
l'appareil de somptuosité et de gloire,
ce gisement inépuisable des foules

dressées à la quête (même Harpagon qui ne donne rien à personne donne un denier à saint Pierre), cette puissance sublime dont, comme le chêne du fabuliste, la tête sacrée est voisine du ciel, mais dont les pieds touchent à l'empire des morts, je veux dire à la politique de ce monde pour lequel le Christ a refusé de prier, nous savons bien que tout cela s'effondrerait et retournerait en poussière, si le secret de la vie n'était contenu par le cocon, si le germe n'était abrité et défendu par cela même qui en paraît être la négation.

En tant qu'elle est une puissance de ce monde, l'Église tient difficilement tête au matérialisme virulent qui, sous forme marxiste, lui dispute l'empire des esprits. Du seul point de vue humain, sa vraie force réside dans la sainteté de ses membres. Ce sont les saints qui font sa force ; je ne désigne pas ici un petit nombre d'êtres élevés aux plus hauts états mystiques. On peut dire de la sainteté qu'elle est la chose du monde la mieux partagée, qu'elle pénètre de très ordinaires destinées où elle ne se manifeste par rien d'autre que par l'acceptation du devoir quotidien et de la quotidienne épreuve : sainteté qui s'ignore elle-même profondément, «petite voie» dont Thérèse de l'Enfant Jésus a fait une doctrine, et que beaucoup d'âmes suivent sans en connaître le nom.

Quand nous demandons des saints à grands cris, peut-être cédons-nous à des réminiscences livresques, au goût des figures historiques et décoratives. Les saints qui nous sauvent, nous ne les remarquons même pas ;

et eux-mêmes seraient peut-être désorientés et choqués par les extravagances des saints illustres et catalogués.

Or, ce contraste entre la pesanteur de l'Église, de la Paroisse, engagée depuis des siècles dans le temporel, tout empêtrée dans la politique de ce monde, et la grâce invisible qui circule à travers le troupeau qu'elle mène, nous le retrouvons chez l'adversaire communiste : lui aussi connaît cette pesanteur, s'il connaît une grâce à sa mesure. Le duel entre la cité chrétienne et la cité marxiste se déroule sur deux terrains différents. L'Église, puissance temporelle se heurte à l'Église stalinienne en tant qu'elle aussi met la Révolution au service d'un impérialisme. Les deux cités offrent ce caractère commun ou plutôt subissent

cette loi commune qui tend à séparer
l'oratoire du laboratoire, la mystique de la politique.

Mais un autre conflit dont les péri-
péties échappent au regard se déroule entre les seules mystiques. Ici,
pouvons-nous parler de conflit ?
Dans les bagnes allemands où chrétiens et communistes s'entr'aidaient,
dans une banlieue où des prêtres
ouvriers annoncent le Christ au peuple marxiste, le duel des deux cités
prend une tout autre signification.
Sur le plan mystique, l'opposition
n'est plus irréductible, « la main tendue » ne relève plus de la tactique
seule et correspond à une réalité, à la
circulation secrète d'une force que
les chrétiens appellent grâce, mais
dont les communistes ne nient pas
l'existence quand ils la constatent.
Louis Martin-Chauffier a rapporté

du bagne de Neuengamme un irrem-
plaçable témoignage :

« Pour que fût possible le refus
total de l'univers où nous étions
plongés, écrit-il, il était nécessaire de
trouver refuge, de s'enfermer solide-
ment dans un univers intérieur sans
fissure, assez riche et bien fourni
pour alimenter la vie morale durant
cet investissement. La plupart de
ceux — non les seuls — que j'ai vus
résister dans ces « châteaux de Dieu »
étaient ou bien de vrais chrétiens ou
bien des marxistes fortement assurés dans une explication cohé-
rente. » (1)

On conçoit qu'à Neuengamme la
main tendue par le communiste n'ait
pas été une duperie, pas plus qu'aujourd'hui le prêtre ouvrier n'est la

(1) Louis Martin-Chauffler : *L'homme et la bête* (Gallimard).

dupe du marxiste qu'il traite en
frère. C'est dans ce que Pascal appe-
lait l' « ordre de la charité » que les
deux cités mettent bas les armes. En
revanche, « la main tendue » crée une
équivoque dans l'ordre politique.

La politique engage le chrétien
dans l'équivoque, alors que certaines
circonstances comme celles que
créèrent les bagnes allemands, la Résistance sous l'occupation, ou que
suscite aujourd'hui l'apostolat ouvrier de la Mission de Paris, substi-
tuent à l'état de guerre entre communistes et chrétiens un état de
fraternité. Jusqu'où cette fraternité
a pu aller, nous ne l'eussions jamais
cru, si Martin-Chauffier n'était un
témoin qu'on ne récuse pas : après
nous avoir décrit l'atmosphère de
vénération qu'avait créée autour de
lui à Neuengamme un médecin ca-

tholique de 27 ans, il raconte ceci :
« A quelques jours de distance et
sans s'être concertés, Richard et
Jean (deux communistes) vinrent
me trouver un peu gênés. Ils me
firent le même aveu : « Je ne crois
« pas en Dieu. Vous y croyez, le
« docteur aussi. Alors, à tout hasard,
« je prie pour vous tous les soirs. »
Richard, le docker marseillais, ajou-
ta qu'il n'était pas trop sûr que sa
prière fût valable. Il n'avait jamais
reçu le moindre rudiment de religion
et ne savait comment s'adresser à
cet hypothétique Bon Dieu. »

Ce témoignage de Martin-Chauffier n'ouvre-t-il pas une étonnante
perspective sur ce qui aurait pu
naître entre communistes et catholiques ? Le marxiste qui prie à tout
hasard un Dieu auquel il ne croit pas

pour un camarade croyant qu'il
admire et qu'il aime, voilà le miracle
né de la rencontre des deux mystiques hors du climat de haine que
crée la férocité des intérêts et des
partis. Et le drame, à la fois celui de
l'Église universelle, puissance temporelle, et de l'individu catholique
engagé dans le monde, c'est de ne
pouvoir aisément échapper à ce
climat — l'Église moins encore que
l'individu. Il n'y a certes pas à lui
jeter la pierre : nous voyons mal
comment elle eût pu se tenir en
dehors du politique et du social, ne
pas faire partie de l'Histoire, ne pas
s'y insérer. Seul un formidable séisme pourrait replacer visiblement
l'Église sur le Golgotha où elle ne
réside que mystiquement, et laisser
apparaître enfin ce qu'une cristalli-
sation millénaire de rites, de musi-

ques, de fastes recouvre et cache aux
regards.

Mais ce que la sainte Église, sous
son aspect humain, ne peut faire
aisément : changer les conditions de
sa vie apparente, les individus y
atteignent avec le secours de la
grâce ; ils peuvent, eux, changer de
vie au sens absolu.

Ce que j'exprime ici, les meilleurs
le ressentent — et non contents de
le ressentir, ils le mettent en pratique : d'où ces apôtres qui appa-
raissent aujourd'hui avec l'approba-
tion et la bénédiction parfois un peu
inquiète de la hiérarchie. Mais d'ores
et déjà, qu'éclate ou non le séisme
redouté, le « dispositif » de l'Église
des derniers temps est en place :
voici venus les jours du prêtre,
homme pareil aux plus pauvres,
vivant de leur vie, mêlé à eux,

camarade, frère, exposé à toutes les
tentations, livré, donné, coupé de
toute apparence d'honneur humain,
s'appuyant uniquement sur la grâce
toute-puissante à laquelle il croit, et
ne tenant pas compte des opinions,
des classements politiques. Que signifie l'étiquette, la couleur de l'étiquette collée sur le personnage abs-
trait appelé électeur, aux yeux du
Christ ouvrier qui prêche dans un
garage de Vincennes et qui, à travers
chaque visage levé vers lui, à travers ces pauvres figures marquées
par la misère, les deuils, les vices,
voit resplendir une âme humaine,
créée pour l'amour, — oui, aussi
misérable qu'elle soit, ayant une
vocation d'amour dont il s'agit coûte
que coûte de la rendre consciente ?

Voilà le seul plan où un catholique
a désormais le droit de s'exprimer

publiquement en catholique ; — et
pour en revenir à la préface des
Mains jointes que je citais plus haut,
voilà l'imposture (non délibérée,
bien sûr) des hommes qui ont cru
que le Christ était un thème, un
motif, dans l'orchestration d'une
vie. Et c'est pourquoi j'ai écrit et je
répète que si je recommençais ma
vie *telle qu'elle a été*, je mettrais
autant de soin à dissimuler ma foi
chrétienne que je me suis donné de
de mal pour la monter en épingle.
Mais voilà aussi l'imposture des
catholiques d'extrême gauche qui
croient avoir le droit d'épouser toutes les passions, d'excuser tous les
attentats du matérialisme stalinien
et qui sous le masque de la justice
assouvissent leur propre ressenti-
ment.

Il est une évidence qui devrait
nous éblouir, nous autres chrétiens,
c'est que les empires en présence :
les États-Unis d'Amérique et l'U-
nion des Républiques soviétiques, se
ressemblent dans la mesure où ils
incarnent la même superstition, la
même idolâtrie : la technique, l'éco-
nomique. Les deux empires mécon-
naissent — parce qu'ils sont des
empires — cet ordre de la charité où
l'individu chrétien, s'il sait s'y tenir,
est assuré d'être invincible et finale-
ment d'attirer tout à lui, comme un
homme qui, dans une place encer-
clée et vouée à la destruction, serait
seul à détenir du pain et aurait reçu le
pouvoir de le multiplier, et qui serait
seul aussi à connaître une source
d'eau vive, de sorte qu'aucun de ses
frères s'adressant à lui ne pût être exposé à repartir avec sa faim et sa soif.

Tout empire — même commandé
et dirigé par des chrétiens — est
asservi à sa volonté de puissance.
Le dévot Louis XIV suit la même
loi que Tamerlan, que Hitler, que
Staline et ne saurait en suivre aucune autre. La force de Philippe II
mise au service de la Croix ouvre des
écluses de sang qui souillent la
gloire de l'Église pour des siècles.
L'ordre de la charité ne concerne pas
les empires.

La main tendue au communiste
doit donc l'être de personne à personne, et en dehors de toute politique. De même qu'aux yeux de saint
Paul il n'existait pas de Juifs, de
Gentils, de Romains, de Grecs, mais
des âmes à baptiser du même baptême, parce qu'elles étaient toutes
rachetées par le sang du même
agneau, il n'existe pas aujourd'hui

pour l'apôtre des derniers temps,
prêtre ou laïque, de communiste, ni
de démocrate, ni de conservateur,
mais une foule à faire asseoir par
groupes, de sorte que les morceaux
de pain puissent être commodément
distribués à tous les affamés de pain
et de justice.

C'est là-dessus que nous pouvons
rêver. J'imagine tel de ces prêtres de
la banlieue disant à des garçons :
« Quittez tout, sans rien abandon-
ner de votre costume, des conditions
de votre vie apparente, et venez tra-
vailler avec moi. » J'imagine une
fraternité laïque autour du prêtre
ouvrier, dont la règle serait précisément de ne pas se distinguer, sauf
par la foi, par la pureté des mœurs,
du milieu humble et souffrant où ils
auraient choisi de vivre. L'exemple
du médecin de Neuengamme est

décisif : un seul vrai chrétien, il
suffit qu'il soit là, *à condition qu'il
soit un homme pareil aux autres,*
habillé comme eux, vivant comme
eux. Quand j'entends se répandre
en cris éloquents un orateur sa-
cré, je me demande s'il espère vraiment, s'il a des raisons d'espérer
que l'on change encore les âmes
du haut d'une chaire ; je sou-
haiterais le croire, mais que cela me
paraît peu croyable ! Pour moi, le
plus souvent, il ne me fait rien ressentir, je le confesse, que l'envie de
le calmer et de lui dire : « Ne vous
mettez pas en nage, vous allez at-
traper du mal. »

Les hommes ont été trop trompés :
ce ne sont pas les paroles aujour-
d'hui qui agissent sur eux, mais
l'exemple. Ce n'est pas la parole de
Dieu commentée ou démarquée et

mise au goût du jour, c'est le Fils de
l'homme, c'est le Verbe de la vie, vu,
touché en la personne d'un pauvre
vivant au milieu des pauvres et tout
pareil à eux, — et en qui pourtant
resplendit cette Présence devant laquelle l'aveugle né tombe à genoux.
« Jésus l'ayant rencontré lui dit :
« Crois-tu au Fils de Dieu ? » Il ré-
« pondit : « Qui est-il, Seigneur, afin
« que je croie en lui ? » Jésus lui dit :
« Tu l'as vu et c'est lui-même qui te
« parle. » — « Je crois, Seigneur »,
« dit-il ; et se jetant à ses pieds, il
« l'adora. » (Saint Jean IX, 35-38.)

Nous avons appris de Kierkegaard
que le contraire du péché, ce n'est
pas la vertu, c'est la foi. Pour croire,
il faut être déjà converti. Mais pour
se convertir, il faut croire. Comment
sortir de cette impasse ? Le vent des

paroles ne nous fera pas tomber à
genoux, — mais les actes, la douleur
consentie et choisie d'un homme vivant dans le Christ au plus épais des
hommes, du Christ vivant dans un
homme qui ne croit pas être un saint
et qui détesterait qu'on le crût de
lui, — et qui à cause de cette crainte,
ne ressemble pas à un vertueux du
modèle que nous sommes tous payés
pour connaître. Cet homme, ces
hommes existent-ils ? Question essentielle, pour ceux du moins dont la
vie n'en est pas à son dernier chapitre, qui sont loin encore du moment de remettre leur copie, qui ont
le temps de tout biffer et de tout
recommencer, qui ne connaissent pas
ce tremblement à la fin d'une vie,
l'angoisse de ces chiffres, de ces co-
lonnes de chiffres où notre existence
révolue s'inscrit pour l'éternité, —

où seul manque encore le total : mais
il s'inscrira d'un coup et à jamais
en même temps que notre dernier
souffle.

Je reviens à la question qui demeure le nœud de cet essai, à cette
puissance d'adhésion, d'attache-
ment, d'embrassement, comme un
lierre embrasse d'antiques murailles,
qui me lie à l'Église en dépit d'un
esprit critique dénué de complaisance, d'une lucidité qui ressemble
parfois à de l'hostilité. « Si mon père
incrédule n'était pas mort, disais-je,
si je n'avais pas été élevé par ma
mère, si... » Mais c'est compter sans
la nature même d'un être doué pour
Dieu, prédisposé à ce que le Chrétien
appelle Grâce, et où l'incroyant ne
voit que l'exigence d'une nature
infirme, trop faible, pour ne pas se
répandre dans un Autre, — cet
Autre qui lui est tellement indispen-

sable qu'elle le suscite, qu'elle croit
l'entendre. Mais si ce Dieu interve-
nait pourtant ? S'il était intervenu
visiblement, à certaines heures de
notre vie ou de telle autre vie con-
nue de nous ? Si l'aventure de Paul
de Tarse, qui est aussi l'aventure de
Paul Claudel, se renouvelait dans
beaucoup de destinées ?

Ce qui m'arrête aujourd'hui, c'est
ce que j'entends par « être doué pour
Dieu ». Un texte du Journal de
Charles Du Bos (tome II) apporte
sur ce point une curieuse lumière,
texte qui a failli m'échapper à cause
de cette manière de Charlie, exaspé-
rante pour ceux de ses lecteurs qui
ignorent l'anglais, de passer à chaque instant d'une langue à l'autre, ce
qui rend la lecture de ce livre extra-
ordinaire si malaisée à la plupart
des gens (dont il est vrai que le cher

Charlie ne souhaitait nullement
d'être connu.) Ce passage est précisément en anglais et c'est bien par
hasard que je suis allé en chercher
la traduction à la fin du volume. A
cette date, 3 mars 1924, Charlie,
détaché du Christianisme, est encore
à trois ans de sa conversion défini-
tive. Il parle de la tristesse qu'il res-
sent : « *Une tristesse presque entièrement à base de douceur, comme si le
seul geste qui gardât quelque signification consistait à caresser chaque
être et chaque chose comme pour leur
dire : « Oui, cela finira d'une façon
« ou d'une autre, un jour ou l'autre,
« et alors peut-être saurons-nous ce
« que tout cela voulait dire. » Pour
moi, du moins, il est clair que je ne
sais pas, non seulement ce que cela
signifie, mais ce que moi je veux dire.
Je suppose que la vérité est que,*

*lorsqu'on ne désire rien, on cesse du
même coup d'avoir aucune signification... L'une de mes contradictions
pourrait bien être qu'à tout moment de
ma vie, n'attendant rien de particulier, je persiste cependant, je ne sais
comment, à attendre n'importe quoi.
Que veux-je dire par ce n'importe
quoi dont je ne me formule jamais le
contenu ? Probablement la perma-
nence d'un certain mode musical
d'exister qui élimine la tâche de
vivre rien que par l'intensité de la vie,
qui est le sien. Ici je retrouve l'inter-
rogation que formulait devant moi
Groethuysen pour résumer ces états-
là : « On ne comprend pas pourquoi la
« musique s'arrête jamais. » Mais je
ne sais même pas, — à vrai dire je
suis dans une période où l'analyse
même de soi porte à faux, ne rend rien
parce qu'au fond l'on ne souhaite*

*qu'une chose : se retourner du côté du
mur, et dormir, indéfiniment dormir.* »

Pour l'incroyant, le mot admirable de Groethuysen : *on ne comprend
pas pourquoi la musique s'arrête jamais* suffirait à expliquer la conversion d'un Charles Du Bos : en ce mois
de mars 1924, il était devenu un être
disponible et comme vidé, prêt à recevoir cette invasion, à subir cette
occupation totale, à peine la vanne
ouverte devant ce flot que le Chrétien appelle Grâce. Car la vie religieuse telle que Charles Du Bos l'a,
dès sa conversion en 1927, et jusqu'à
sa mort, assumée, est d'abord cela :
une musique qui ne s'arrête jamais.
La liturgie devient l'accompagnement de ce drame lyrique du salut,
— et non pas du salut de tel personnage inventé, mais du nôtre, de celui
de nos amis et de nos proches, de

tous ceux et de toutes celles qui
cherchent à obtenir de nous un secret pour être porté jusqu'au delà de
la mort, par une musique ininterrompue.

La pratique religieuse orchestre la
vie du converti, l'ordonne selon un
rythme millénaire fixé, chaque jour
de l'année, par la liturgie, depuis le
Sacrifice du matin et la participa-
tion au corps du Seigneur jusqu'aux
Complies du soir ; et comme le travail profane, le sommeil même, s'é-
coulent en présence du Père, et qu'il
n'est pas une seconde où ne puisse
tenir un élan, un appel, il demeure
vrai à la lettre que cette orchestration de notre destin n'est jamais
interrompue. O merveilleuse espérance qu'elle ne le sera jamais et
qu'elle éclatera, jubilante, et reten-
tira, comme le motif de la résurrec-

tion à la fin de la Passion selon saint
Jean de Bach, à l'instant même où nos
lèvres seront scellées pour l'éternité !

Cette sorte d'état d'indifférence et
de sommeil dont Du Bos avait tant
besoin en 1924, naît presque toujours de l'épuisement où nous réduit
un amour sans issue. Osons le reconnaître : pour les esprits de cette race,
c'est presque toujours la créature
qui prépare les voies du Créateur ;
c'est elle, la créature qu'ils aiment,
qui les détache du monde, qui le dé-
peuple pour eux, qui les rend indif-
férents à ses plaisirs et à ses promesses, et qui, en même temps
qu'elle entretient leur désespoir, leur
inspire le dégoût d'une vie morne,
ordonnée et tranquille, leur rend
insupportable un état où ils ne seraient pas à chaque instant cons-
cients de leur drame intérieur.

L'amour humain centre notre douleur autour d'un visage : c'est la meilleure préparation à la vie du Chrétien, du moins pour ceux qui sont prédisposés à entrer dans le mystère de l'Incarnation ; pour les autres qui n'y sont pas prédisposés, et qui pourtant ne peuvent se résigner à ce que « la musique soit un seul instant interrompue », ils risquent de devenir une proie pour l'alcool, pour la drogue ; ou ils se consacrent à l'assouvissement d'une convoitise, — car l'argent, les affaires, la politique, les jeux de l'ambition, autant qu'ils s'y adonnent, masquent sans les combler ces abîmes qu'ouvrent sous leurs pas, à chaque instant du jour et de la nuit, l'interruption de la musique.

Au vrai, pour orchestrer une vie, le vice, un vice constitue la plus

redoutable concurrence à la vie chrétienne. On passe rarement du vice à
Dieu, sinon par l'intermédiaire de
l'amour humain, si coupable qu'il
soit. La recherche méthodique d'un
assouvissement à quoi se ramène le
vice et qui crée une existence dramatique, pleine d'ignobles risques, mais
fertile en sombres miracles, avec ses
raccourcis brusques vers l'anéantis-
sement par le suicide, se suffit à elle-
même, et aide ceux qui la pratiquent
à se passer de Dieu. Le vice aussi est
une musique sourde, une basse continue et pathétique qui accompagne
le moindre geste, un regard furtif et
jusqu'à nos songes : « une existence
pathétique, Nathanaël, plutôt que
la tranquillité... » C'était déjà le cri
de Gide dans *Les nourritures terres-*
tres. Peut-être est-ce le pire malheur
qui puisse atteindre un homme (si le

pire malheur est d'être séparé de
Dieu) que de dissocier l'amour du
plaisir, de telle sorte que la volupté
ne s'accompagne jamais de son con-
trepoison, qui est la souffrance
amoureuse. Seule la passion du cœur,
l'amour passionné brûle, dénude
l'être recru de détresse, le réduit à
cet état que décrit Du Bos en 1924,
au « dormir plutôt que vivre » de
Baudelaire, — et que j'exprime
moi-même dans la *La Fin de la Nuit*,
lorsque je fais dire à Thérèse Desquey-
roux : « Il faudrait que la vie avec
la créature que nous aimons fût une
longue sieste au soleil, un repos sans
fin, une quiétude animale : cette certitude qu'un être est là, à portée de
notre main, accordé, soumis, comblé ;
et que pas plus que nous-même il ne
saurait désirer être ailleurs. Il faudrait à l'entour, une telle torpeur,

que la pensée fût engourdie, afin de
rendre impossible même en esprit
toute trahison... » Un désir de caresse et de chaleur humaine s'exprime encore ici, mais déjà avec des
indications, des préparations à un
autre état où la créature s'éloigne
imperceptiblement, n'est plus en
nous mais à côté de nous, jusqu'à ce
que l'Autre enfin approche. Nous
touchons ici au dernier stade avant la
conversion d'un être de cette race.

Qui n'a connu (je parle des esprits
de la même famille) ces jours de sus-
pension, de détachement et de surnaturel silence, comme si l'âme était
près d'émerger tout à coup, et qu'elle
approchait de la surface des choses
visibles. Alors nous la sentons presque à portée de la main, insérant
déjà, dans la fugacité du temps, sa
part d'éternité : les bruits de la ville,

le son d'une trompe, des cris d'enfants, un chant d'oiseau nous par-
viennent détachés : on dirait que
nous sommes passés déjà de l'autre
côté des êtres, et en même temps, les
larmes sont prêtes à jaillir, — des
larmes, mais non désespérées : cet
attendrissement cristallise encore
autour d'une créature bien-aimée,
et pourtant nous sentons qu'elle
s'éloigne. État très doux où un
Du Bos, sans doute, deux ans avant
de tomber à genoux, prenait déjà
conscience d'une approche adorable.

Un autre nom que Du Bos donne
à cet état de musique ininterrompue
vers quoi il aspire est celui de « paix
exaltée ». Oui, une exaltation pai-
sible, c'est bien cela que goûte le
converti ; mais il n'est vraiment
converti que s'il s'en méfie dès le

4

premier jour et ne s'y livre pas les
yeux fermés. Gide parle quelque
part de « ce besoin d'épaissir la vie
que la religion est habile à conten-
ter ». C'est à ce désir en effet qu'elle
répond d'abord et c'est lui qu'elle
satisfait dans le commencement.
Mais s'il ne s'agissait que d'une ruse,
reconnaissons qu'elle serait presque
toujours déjouée. Car cette paix
exaltée a tôt fait de retomber, et la
musique dont nous souhaitions
qu'elle ne s'arrêtât jamais, un moment vient toujours où elle lasse le
débutant, où elle l'irrite après l'avoir
enchanté, et ce sont les musiques
profanes qu'il souhaiterait de réen-
tendre.

Sur ce point, il faut se garder
d'une confusion à laquelle cèdent les
âmes présomptueuses : comme
elles ont lu dans la vie de certains

mystiques le récit du martyre qui
leur est infligé par le silence, par
l'absence du Dieu, par cette mort
apparente de la Foi qui fut la dernière et terrible purification imposée à Thérèse de l'Enfant Jésus, elles
prennent pour une épreuve de cet
ordre le réveil de leurs convoitises
mal éteintes. Le reptile en elles se
désengourdit, bénéficie du jeûne
qu'il vient de subir, cherche de nouveau sa proie ; et la volupté, les passions du cœur redeviennent à leurs
yeux ce qui épaissit la vie et la sou-
tient d'une musique ininterrompue.

Rien de commun entre cette première épreuve des « débutants » et
le dénuement terrible du mystique
qui va étreindre Dieu. Toute la question pour l'âme qui débute est de
s'éprouver elle-même : aura-t-elle la
force de persévérer sans musique,

dans la sécheresse, dans le dégoût
des formules et des gestes que l'ac-
coutumance dépouille peu à peu de
tout attrait ? Charles Du Bos, pour
lequel j'ai tout lieu de croire que
certains modes de la vie chrétienne
(entre autres la direction) après
avoir été un enchantement étaient
devenus assez vite une croix, sut ne
pas fléchir. Il franchit ce premier
obstacle qui est le désir justement
d'interrompre cette musique dont
nous avions tant désiré au départ
qu'elle ne s'arrêtât jamais.

Il fut servi en cela par la maladie ;
ou plutôt il sut obtenir ce fruit de
la maladie, à force de courage, de
renoncement. Car la maladie n'y
aide pas par elle-même : contraire-
ment à ce qu'écrit Pascal, elle n'est
pas l'état naturel du Chrétien ; elle
ne nous prédispose pas à la vie chré-

tienne ; elle nous incline au contraire
à ne penser qu'à notre corps et nous
rend prisonniers des phénomènes
physiologiques. Bien loin qu'elle
nous introduise à la sainteté, elle
entretient entre le malade et les
biens portants un malentendu perpétuel, une atmosphère d'incompré-
hension irritée. Ce fut la victoire de
Du Bos de l'avoir domptée, de s'en
être rendu maître, de l'avoir fait
servir à son avancement spirituel.
Lorsque le malade atteint à faire de
la maladie l'auxiliaire de la grâce, —
alors elle devient un raccourci, pour
aller à Dieu. Il est visible, dans le cas
de Du Bos, qu'elle l'aida à brûler les
étapes. Le Chrétien malade, s'il en
a la force et le courage, possède un
« moyen court » de purification, une
voie toute faite, si j'ose dire, — il
n'a plus qu'à tendre les mains et les

pieds : ce que fit Du Bos, il me semble.

Et ceux de ses contemporains à qui, pour l'instant, la maladie est épargnée, il leur reste d'utiliser la pire de toutes les maladies : la vieillesse, qui ne détruit que le visage et laisse le cœur intact ; contradiction qui fait les vieillards grotesques et déshonorés — mais qui peut aussi bien les aider à aimer et à servir Dieu avec les ressources d'un cœur tragiquement, miraculeusement préservé.

Le pécheur que la satiété du vice ramène à Dieu et que la satiété de Dieu renvoie au vice, il n'est rien de si misérable ni de si commun, — comme il n'est rien de moins commun que la persévérance par delà toute satiété. La vie chrétienne authentique pourtant ne commence que par delà toute musique. L'ascèse

vaut surtout, il me semble, comme
une preuve que nous nous donnons à
nous-même, que nous sommes détachés du plaisir. Car si nous le recher-
chons encore dans l'ordre du vête-
ment, de la nourriture, de « l'habi-
tat », c'est donc que nous le recher-
chons aussi sur le plan de la Grâce.
Il y a beau temps que nous avons
discerné dans notre peu de goût pour
la pénitence le signe que notre inter-
mittente ferveur n'avait pas de ra-
cine et qu'elle n'était qu'un autre
aspect de la recherche du plaisir.

Non que cette ferveur ne vaille
rien ; ne soyons pas plus difficiles à
notre égard que ne semble l'être le
Christ : la fidélité, même sous une
forme basse, il s'en contentera peut-
être. Jacques Rivière, vers la fin de
sa vie, et comme il paraissait avoir
choisi la voie large, protestait qu'il

n'avait pas renoncé à Dieu. Et nous
avons vu au seuil de la mort, que
Dieu non plus n'avait pas renoncé
à lui et que sa grâce sut passer par
la porte que Jacques avait laissée
entrebâillée. C'est le conseil que je
donne aux autres lorsqu'ils som-
brent, parce que je me suis toujours
efforcé d'agir ainsi aux pires mo-
ments : « Ne jamais lâcher la houppe
du manteau... » Rivière, dans le
désordre et le tourment des passions,
avait gardé cette dernière fidélité :
ne pas renier le Père, laisser une
chance à son amour.

Cela dit, peut-être humainement
entre-t-il plus de grandeur dans le
choix conscient de Nietzsche qui
s'arrache à Dieu (car ce fut pour
lui un douloureux arrachement).
Quand nous rêvons des ruses de la
Miséricorde, pour « sauver ce qui

était perdu », il nous arrive d'ima-
giner que l'éternel amour discernera
peut-être dans le refus même d'une
grande âme, une raison de la sauver,
— à condition que ce refus (comme
dans le cas de Nietzsche) n'ait pas
été une facilité pour assouvir une
inclination basse. Je ne dis pas cela
de moi-même, mais d'après le témoignage d'une jeune femme malade
et très près de Dieu, devant laquelle
je m'inquiétais un jour du sort éternel d'une amie qui était la sienne
aussi, et qui était entrée dans la
mort, refusant toute consolation religieuse, non par orgueil mais parce
qu'elle n'avait pas la foi et qu'elle ne
voulait mentir ni à elle-même, ni à
l'Être inconnu.

Cette sainte malade me donna
tout apaisement au sujet de notre
amie, comme si elle avait des raisons

de savoir que son âme se reposait maintenant d'avoir tant souffert et voyait enfin la lumière. C'est de ce côté-là qu'il ne me semble pas interdit d'entrevoir comment le Christ accomplira ce qu'il a promis : « Je tirerai tout à moi. » Son troupeau invisible, nous le croyons infiniment plus nombreux que son troupeau visible parce qu'il englobe tous ceux et toutes celles qui se tiennent en dehors du bercail, par crainte de céder sans l'excuse de la foi, à l'attrait d'une consolation, d'un réconfort. « L'athéisme purificateur » a osé écrire Simone Weil dont le livre posthume : *La pesanteur et la grâce* projette une lumière admirable sur ce mystère. Il existe une sorte d'athéisme qui purifie la notion de Dieu. Le faux Dieu auquel nous croyons nous sépare davantage du

Père que la négation, que le refus des
faux athées.

De ces grandes âmes qui se refu-
sent, je voudrais parler à certains
fidèles que *La Pierre d'achoppement*
a heurtés et qui m'écrivent pour me
mettre en garde contre le scandale
des faibles. Le troupeau dévot, celui
qui garde férocement ses chaises à
l'Église, s'est-il jamais inquiété du
scandale des forts ? Est-il jamais
arrivé à mes correspondants d'arrê-
ter une seule fois leur pensée sur les
nobles esprits qui auront été séparés de la lumière par l'écran des
dévotions basses, par les idoles
qu'elles dressent *à la place* du Père ?
Il se peut que certains de ces réfrac-
taires n'aient cherché là qu'un prétexte pour se refuser à Dieu. Mais
combien d'autres, hésitants à se
rendre, se sont repris parce qu'ils

ont jugé de l'arbre par ses fruits
blets, ou plutôt n'ont su voir que
cette végétation parasitaire de faus-
ses dévotions qui le recouvre !

J'ai imaginé dans *Ce qui était
perdu* une vieille dame très sainte
prenant conscience tout à coup que
c'était elle qui défigurait le Christ
aux yeux de sa belle-fille incroyante,
et détournait de la lumière une
créature visiblement appelée. Cette
vieille dame admirable, je ne l'ai
malheureusement jamais rencontrée
dans la vie. Mais c'est que, pour
comprendre ce drame que crée le
barrage des basses crédulités, il faudrait justement que les personnes
qui l'entretiennent fussent diffé-
rentes de ce qu'elles sont. L'exigence de quelqu'un qui vit de la vie
de l'esprit, ce qui s'appelle l'honnê-
teté intellectuelle, ne leur est même

pas concevable. Elles ne conçoivent
pas que le scrupule puisse porter sur
d'autres points que sur les vétilles
de la Lettre, et que l'intelligence a
aussi les siens.

Combien d'adorateurs en esprit et
en vérité ont été écartés à cause de
certaines tolérances, de certaines
complaisances pour ce qui subsiste
de païen et de fétichiste dans l'homme, nous le saurons un jour, mais
nous l'entrevoyons dès maintenant.
Les plus belles âmes qu'il m'ait été
donné de connaître, surtout parmi
les femmes, je les ai rencontrées
sur les confins de la libre pensée et
de la foi, du Protestantisme et du
Catholicisme, de l'Humanisme ratio-
naliste et de l'Évangile peut-être
parce qu'elles échappaient encore à
la routine, aux déformations de la
pratique, et qu'elles étaient déjà

inondées de grâce. Sur ces confins, plus d'une fois j'ai vu tous les orages d'une vie passionnée se résoudre en une pluie féconde et l'amour des créatures se transmuer en un amour de Dieu qui allait d'un seul coup à la sainteté.

Le travail de la Grâce sur les confins, au moment même où j'écris, qu'il y aurait à dire à ce sujet ! A la lisière du marxisme et du christianisme travaillent les prêtres de la Mission de Paris, de même que dans l'ordre de la pensée, nous avons vu des Protestants, des Marxistes, se mêler le jour de la Pentecôte aux étudiants catholiques sur la route de Chartres. C'est sans aucun doute vers une religion dégagée, non certes des vieilles dévotions authentiques (comme par exemple celle des pèlerinages demeurée si merveilleuse-

ment féconde) mais dégagée de
toutes les formes basses de croyance,
que l'Église paraît s'engager de plus
en plus, grâce à une résurrection de
la sainte liturgie redevenue populaire et vivante. Il faut des outres
neuves pour mettre le vin nouveau ;
mais il en est d'anciennes dont on ne
se lasse pas d'admirer l'éternelle
nouveauté, et la liturgie catholique
est de celles-là.

Il n'empêche que le problème
posé naguère à propos de la jeunesse
ouvrière chrétienne, qui ne trouve
plus dans la paroisse, telle qu'elle
s'est constituée au cours des siècles,
un cadre, une atmosphère où un
jeune travailleur puisse s'établir,
respirer à l'aise, où il se sente
comme un fils dans la maison de son
père et non comme un étranger,
comme un paria dont la tenue fait

scandale, — ce problème se pose sur un
autre plan pour les esprits exigeants,
scrupuleux, qu'un seul prône suffit
parfois à irriter, à éloigner. Oh ! je
sais bien que, pour qui a pressenti,
ne serait-ce qu'une heure, ce qu'est
cette paix du Christ à laquelle les
saints ont tout sacrifié, les abus, les
complaisances, les misères de la
fausse dévotion ne sont même plus
perceptibles. Et nous-même, durant
les périodes où nous nous sentons
dans l'intimité de Dieu, nous sommes trop reconnaissants à l'Église
des grâces qui abondent en nous par
tous les canaux qu'elle met à notre
service, pour être attentifs à ces
vétilles. C'est tout de même une
question qu'il faut poser : n'est-ce
pas lorsque Dieu se retire de nous
que les imperfections de l'Église
nous frappent surtout et que notre

esprit critique s'éveille ? Je n'ose en
décider. Que le goût de tout réfor-
mer soit proportionné, dans un Chrétien, à la faiblesse et à la tiédeur de
sa Foi, que Lamennais, par exemple,
bien avant de se révolter, se fût
déjà, à son insu, dépris de Dieu,
on peut en discuter. Ce zèle qui parfois nous dévore ne trahit-il pas un
dégoût, une impatience, un obscur
désir de secouer le joug ? Et le vrai
n'est-il pas que lorsque nous ne
sommes plus retenus fortement au
centre même de notre âme par une
foi et par un amour ardents, notre
attention s'en détourne et se porte
à la périphérie sur les imperfections
et les déformations de la lettre et
sur les complicités du christianisme
politique ?

Eh bien, non ! Cette exigence à
l'égard de la Sainte Église, je ne

crois pas qu'elle corresponde chez nous à une diminution de la foi. Mais telles sont les conjonctures historiques, aujourd'hui, que chacun interroge avec angoisse la parole qu'il a reçue : les études sur Marx, sur Nietzsche se multiplient. Comment les chrétiens, par delà dix-neuf siècles d'interprétations, de commentaires, de gloses, ne s'efforceraient-ils pas d'écouter cette promesse comme s'ils l'entendaient pour la première fois ? Dans tout ce que j'écris ici, je ne crois pas qu'il y ait abandon téméraire à mon sens propre, car si j'enregistre mes réactions aussi fidèlement que je le puis (c'est tout le propos de cette étude), je suis très loin de m'y fier. Et par exemple, j'admettrais volontiers que ce qui en moi résiste à certains aspects, à certaines formes de la

dévotion, comme, par exemple, aux
manifestations de Notre-Dame du
Grand Retour (elles se renouve-
laient ces temps-ci en Espagne autour d'une autre statue, celle de la
Vierge de Fatima et durant ces se-
maines mariales où toutes les ma-
dones d'une province étaient réunies en une espèce de congrès !), il y
faut peut-être voir le signe d'une
hérédité janséniste : Jacqueline Pascal eût réagi de même, qui souhaitait d'entrer à Port-Royal : « parce
qu'on y pouvait faire son salut rai-
sonnablement ».

Pourtant nul moins que moi n'incline à mêler sinon la raison, du
moins le raisonnement, aux choses de
la Foi. Ce qui m'attachait dans ma
jeunesse aux Jansénistes, ce n'était
nullement leur doctrine de la grâce,
mais la fascination de Pascal, son

apologétique fondée sur une expérience vécue, la qualité humaine de
la première génération janséniste
opposée à ce que je subodorais de
christianisme politique chez ses adversaires. Mais on ne saurait être
moins théologien que je ne le suis,
ni plus persuadé de ce que dit
Kierkegaard : que Dieu n'est pas quelqu'un *de qui* on parle, mais quelqu'un *à qui* l'on parle. Je ne dis
point cela pour m'en vanter ; c'est
un fait que tout raisonnement théo-
logique devient très vite une épreuve
pour ma foi, alors qu'elle se nourrit
de l'oraison des mystiques. Dès
qu'on prétend m'apporter des preu-
ves, je perds pied. Dès qu'on me
rend sensible un contact spirituel,
j'y adhère sans aucun effort. Loin
de moi la pensée de vouloir discré-
diter la connaissance rationnelle ;

et même je souscris entièrement à ce
que dit Newman, que « la préten-
due religion du cœur sans ortho-
doxie ni doctrine n'est que la chaleur
d'un cadavre, réelle un moment mais
vouée à disparaître. » Tout ce que
j'écrivais dans le précédent chapitre
témoigne de cette vérité : les inter-
mittences du cœur dont parle Proust
règnent aussi dans les rapports du
fidèle avec son Dieu et la persévérance ne s'obtient que si, selon le
mot de Coventry Patmore, « nous
ne renions pas dans les ténèbres ce
qui nous a été révélé dans la lumière... » et si, en dehors de tout
sentiment, nous adhérons par la
volonté à la doctrine chrétienne et
la pratiquons, dans la sécheresse,
dans l'aridité.

Je livre ici simplement un trait
de ma nature : j'atteins Dieu en

moi et dans les autres par l'expérience que j'ai de lui et par celle
qu'ils ont de lui, et grâce aux
recoupements qu'il m'est donné ainsi
d'établir. Et par exemple, je n'ai
jamais osé avouer à des amis Religieux le peu de secours que je
trouve personnellement dans la revue si intelligente et si « moderne »
qu'ils publient. De ces hommes qui
ont choisi de renoncer au monde et
à ce qui est du monde, nous n'atten-
dons rien — moi du moins je
n'attends rien, que le secret de leur
profonde vie, que la communica-
tion de cette Paix qui n'est pas celle
que le monde donne et qu'ils ne
peuvent pas ne pas avoir reçue...
Ou bien au contraire ne l'ont-ils pas
trouvée ? Toute la question pour
moi est là : c'est le mystère de Dieu
en nous. Je voudrais être assuré

qu'ils ne sont pas trop touchés par ce
qui est « du jour », eux à qui nous
demandons les paroles de l'éternité.
Ici encore je ne parle qu'en mon
nom propre et je ne doute pas qu'il
ne soit très nécessaire que l'Église
donne sa réponse dans tous les
ordres et sur tous les plans aux ques-
tions que pose la génération qui
monte, et en usant de son vocabu-
laire ; mais pour moi, j'avoue qu'il
m'est totalement indifférent de savoir ce que mes amis Religieux
pensent du plan Marshall, de la révolution par la technique, de la crise
du cinéma français. Ils sont les derniers dont l'avis m'importe sur ces
problèmes. Leur costume même, il
me semble, les sépare physiquement
de cette civilisation mécanique et
destructrice de l'esprit. Ils sont une
négation vivante de tout ce que le

monde adore et ils incarnent en
même temps une affirmation que le
monde rejette. La raison d'être de
ces Religieux dans le Paris d'aujourd'hui, c'est de maintenir un re-
père, c'est de redire inlassablement
au nom de leur Maître : « Je suis là ;
je suis toujours là. » Et c'est, sans
doute, ce qu'ils font ; mais peut-être
en perdent-ils un peu conscience :
qu'ils sont inadaptés à ce monde
dont ils s'efforcent de parler la
langue ! Qu'on aurait envie de leur
crier — mais non certes comme une
injure — comme une louange au
contraire : « Mêlez-vous de ce qui
vous regarde, de Celui que vous
regardez ; initiez-nous au secret de
la contemplation. »

J'entends déjà leur réponse : que
les Chrétiens ne sont pas du monde
mais qu'ils sont dans le monde, dans

un monde qu'ils ont mission de
changer en profondeur. Je leur ac-
corde que je cède peut-être ici à la
fatigue de l'âge, de cet interminable
combat que tout homme mène contre lui-même. Cela sans doute m'est-
il particulier de n'attendre de ceux
qui se sont donnés au Christ qu'une
réponse à la question éternelle :
« et vous, que dites-vous de Lui ? »
Oh ! comme avidement je les écou-
terais, s'ils me parlaient du Fils de
l'homme, non pas en théologiens,
non pas en sociologues, mais comme
ceux qui voient, qui touchent le
Christ ressuscité ! Ce qu'un Religieux pense du surréalisme, ou de la
liberté selon Sartre, je le sais d'a-
vance. Le chien de l'Écriture reve-
nait à son propre vomissement, non
aux vomissements des autres. Leurs
problèmes, comment seraient-ils les

nôtres ? Ce n'est pas une question
pour nous de savoir s'il faut ou non
faire avorter sa maîtresse, ou si
l'homme que nous venons de tuer
est la victime de notre jalousie ou
celle de notre fidélité à un parti politique. Cela ne concerne pas les
enfants de Dieu. Il n'y a pas de problèmes de « mains sales » pour un
homme qui récite chaque matin,
avant de consacrer ou avant de
recevoir le corps du Seigneur :
lavabo inter innocentes manus meas.
Non qu'il ne puisse avoir, en effet,
les mains sales, mais il sait qu'elles
le sont et dans quelle eau il les doit
laver.

Au degré de désespoir où nous
voyons bien que l'espèce humaine
est parvenue, alors que je ne rencontre plus un seul socialiste qui ait
hérité la foi d'un Jaurès, ni un seul

communiste qui ne se sente lié personnellement à la cause de l'impérialisme slave, dans un temps où l'univers concentrationnaire survit aux
régimes infâmes qui l'ont suscité, où
la torture de l'homme par l'homme
couronne une exploitation de l'homme par l'homme devenue sans recours (puisque ce n'est plus un pa-
tronat de classe qui l'exploite, mais
le parti prolétarien lui-même impec-
cable et infaillible et dont les prérogatives et les droits ne connaissent
pas de limite), il ne nous reste plus
à nous chrétiens que de confronter
ce monde atroce et l'Église catholique, le vieux vaisseau d'une forme
antique, mais chargé de la Vérité
dont depuis dix-neuf siècles il n'a
rien laissé perdre, et les eaux de
ténèbres et de boue qui le portent.

C'est pourtant cette Église que, selon l'auteur anonyme d'un article du journal protestant *Réforme*, j'aurais dans *La pierre d'achoppement* prétendu justifier « de compromis, de lâchetés, de faiblesses, de mensonges... » Comme si un tel blasphème avait jamais effleuré mon esprit ! Comme si j'avais pu croire un seul instant la Sainte Église suspecte de ces abominations ! Elle est sainte mais ses membres sont pécheurs. J'ai critiqué, à tort ou à raison, ce qui m'a paru être chez certains prédicateurs des exagérations, des déviations, et chez certains clercs un excès de complaisance à l'égard des formes basses de la dévotion, — mais il s'agissait dans mon esprit d'erreurs par rapport à la vérité qu'a toujours enseignée l'Église immuable. Si j'ai prononcé le mot de men-

songe à propos de ces traditions, de
ces usages, j'ai ajouté aussitôt *à
l'intérieur de la vérité*. L'expression
vaut ce qu'elle vaut et il n'est pas
sûr qu'elle soit très défendable. Mais
il va de soi que dans mon esprit
« le mensonge à l'intérieur de la
vérité » n'est plus le mensonge et
qu'il s'éclaire et trouve ses raisons
de subsister et d'être souffert par
l'Église, sinon toléré et encouragé.

Lorsque le collaborateur de *Réforme*, pour n'être point suspect de
pharisaïsme, croit devoir dénoncer :
« la pauvre Église réformée par certains côtés si misérable... », je me
refuse à lui rendre la politesse,
l'Église catholique ne me paraissant
par aucun côté mériter cette épi-
thète. J'ajoute que je ne l'applique-
rais pas non plus volontiers aux
Églises protestantes : on peut être

hérétique sans être, à proprement
parler, misérable. Ce que je contes-
terais plutôt au Protestantisme,
c'est son existence en tant qu'Église.
Et il s'arme contre la nôtre de ce
qu'elle est la seule qui ait une tête et
des membres, une organisation à
la mesure de la planète. Les Églises
nationales réformées ont sans aucun
doute, elles aussi, sur des théâtres
restreints, mille occasions de se mêler à la politique humaine. Mais
elles ne constituent pas cet empire
spirituel qui, indépendant de toutes
les nations, se trouve être par son
indépendance même, obligé de traiter avec César, de traiter avec lui
tout en s'opposant à lui. Tels sont
les inconvénients et les risques de la
véritable Église : la catholicité constitue le caractère essentiel de son
authenticité ; la catholicité est préci-

sément ce qui fait défaut à toutes les hérésies.

Quant à ce qui oblige le rédacteur de *Réforme* à se voiler la face, ce mélange d'indulgence et d'irritation que m'inspirent certains usages, certaines traditions dont les siècles ont marqué la piété catholique, je réponds hardiment que je me reconnais, enfant de la Maison, le droit de m'en irriter ou de m'en accommoder, n'ayant à ce sujet de compte à rendre qu'au Père de famille, mais je ne puis me défendre de juger bien sujets à caution les airs scandalisés de mon frère séparé. J'incline à croire qu'il est trop heureux de trouver là des prétextes pour détourner les yeux de la vieille Église mère dont les marques de vérité se manifestent avec plus d'éclat à mesure que l'antique nef approche du port,

et que dans le ciel de la fin des
temps nous cherchons déjà la place
où apparaîtra le signe du Fils de
l'homme. Ce jour-là, à quel troupeau
se joindront-ils, les Pères ressuscités
des premières générations chrétiennes ? Là sans doute où ils retrouve-
ront intact ce dépôt de la foi qu'ils
avaient reçu des apôtres et que
l'Église catholique seule aura sauvegardé jusqu'à la fin.

Car comme dit Bossuet, tout est
fondé sur la question : « Où était
l'Église avant la Réforme ?... Quand
vous êtes venus au monde, il n'y
avait dans le monde personne de
votre croyance : si donc votre doctrine est la vérité, il s'ensuit que la
vérité était éteinte sur la terre...
Quand on a commencé votre Réforme, y avait-il un seul homme qui
en se joignant à Luther, à Zwingle,

à Calvin, à qui vous voudrez, lui
ait dit en s'y joignant : j'ai toujours
cru comme vous, je n'ai jamais cru
ni à la messe, ni au Pape, ni au
Dogme que vous reprenez dans
l'Église romaine ? »

Ces textes de Bossuet m'ont remis
en mémoire ce que je me souvenais
d'avoir lu dans une jeune revue pro-
testante publiée en 1933 par des
disciples de Carl Barth. Au cours
d'un dialogue, un Protestant niait
que Rome ait jamais été l'Église, et
que l'Église avant Luther ait pu
résider ailleurs que « dans une suite
de martyrs, Amalriciens, Albigeois,
Beghards. » Sur quoi l'autre protestant protestait : « Absurdité no-
toire ! Vous préférez à Anselme, à
Bernard, à François, quelques dou-
teux spirituels ! » Réponse à laquelle
il n'y a rien à répondre, et si les

gens obéissaient à des raisonnements
et non à des passions de l'esprit plus
exigeantes que celles du cœur, ils se
rendraient à l'évidence dont parle
magnifiquement Bossuet : « Si on
ouvre une fois les yeux à la vérité,
écrit-il dans l'*Avertissement aux protestants*, si on voit qu'il n'est pas
possible de nous refuser le titre de
vraie Église où l'on peut trouver le
salut que nous cherchons tous, ceux
qui le cherchent véritablement ne
tarderont pas à pousser leurs ré-
flexions plus loin : ils reconnaîtront
les avantages plus éclatants que le
soleil, de l'Église catholique romaine
au-dessus de toutes les autres socié-
tés qui s'attribuent le titre d'Église.
Ils y verront l'antiquité, la succession, la fermeté à demeurer dans le
même état. Ils y verront la chaire de
Saint Pierre où les Chrétiens de tous

les temps ont fait gloire de conser-
ver l'unité ; dans cette chaire une
éminente et inviolable autorité, et
l'incompatibilité avec toutes les erreurs qui ont toutes été foudroyées
de ce haut siège. »

Que mon contradicteur de *Réforme* ne s'imagine surtout pas que
j'aie la prétention de le toucher ni
de le convaincre par le témoignage
de cette voix qu'il a tant de raisons
de haïr. C'est pour moi-même qu'à la
fin de ces confidences je tiens à citer
Bossuet, c'est de ma propre fidélité
que je désire témoigner et de l'indé-
fectible amour que m'inspire la sainte Église. Quelques-uns ont cru
que je m'abandonnais à mes hu-
meurs... Non : j'ai cédé à une exigence, au désir de communiquer à
d'autres cette persuasion où je suis
que le temps est venu non certes de

toucher à l'essentiel et qui est le
dépôt confié à l'Église, mais de
bousculer des conceptions, des habitudes même respectables. Si une
chose est prouvée aujourd'hui (et là
résident notre consolation et notre
espérance), c'est que le message
évangélique a gardé sur les cœurs
toute sa puissance bouleversante, à
condition qu'il soit offert à l'homme
souffrant et désespéré par quelqu'un
d'aussi souffrant que lui, mais débor-
dant d'une espérance infinie. L'éternelle nouveauté du Christ, il appar-
tient aux apôtres des derniers temps
que nous voyons surgir ici et là, de
la rendre perceptible à une société
devant laquelle, l'une après l'autre,
toutes les autres issues se ferment.
Il n'est rien qui me touche autant
dans l'Évangile que la question du
Christ abandonné par les esprits

trop exigeants, au petit nombre
qui ne s'éloigne pas : « Et vous ?
Vous voulez aussi me quitter ? »
Et la réponse qui est notre réponse :
« A qui irions-nous, Seigneur ? Vous
avez les paroles de la Vie éternelle. »

Il existe une suprême vérité à
révéler aux hommes d'aujourd'hui
qui ont admis une fois pour toutes
qu'ils sont des athées : c'est qu'ils ne
le sont qu'à l'égard du Dieu des phi-
losophes et des savants, du Dieu
dont Nietzsche a proclamé la mort
et qui, en effet, n'existe pas. Mais le
Père dont le Fils nous a révélé qu'il
existe par cette seule invocation :
« Notre Père qui êtes aux Cieux... »
ce Dieu à qui Claudel disait : « Voilà
que vous êtes quelqu'un tout à
coup ! » c'est la mission de l'Église
de le révéler au monde moderne, en
changeant peut-être certaines de ses

habitudes, en désencombrant les
canaux et les avenues par où la
Grâce, dans les derniers temps, se
répandra sur le monde et le recou-
vrira.

POSTFACE

Comme le ton « polémique » de
ces dernières pages pourrait prêter à
équivoque sur mes sentiments à
l'égard de nos frères séparés, je tiens
à publier ici l'article qui répondait
à une chronique sur le dogme de
l'Assomption publiée dans *le Figaro*
par M. le pasteur Boegner :

Une récente chronique de M. le
pasteur Boegner sur le dogme de
l'Assomption a ému certains de nos
lecteurs catholiques et nous avons
reçu à ce propos un important cour-
rier. Il est bien délicat de toucher à

ces matières sans froisser ou irriter
les âmes croyantes de l'une ou de
l'autre confession. Je m'y risquerai
pourtant ; mais il va de soi que mes
commentaires n'engagent que moi-
même et qu'il y faut voir les opinions discutables d'un simple laïc.

Lorsque des pasteurs réformés
déplorent la promulgation du nouveau dogme qui, selon eux, rendra
plus difficile l'union des églises, leur
tristesse me touche et, bien loin de
me scandaliser, m'édifie ; car elle
témoigne d'un changement profond
dans de hautes sphères protestantes,
à l'égard de l'Église catholique. Nos
correspondants doivent se rappeler
que, naguère encore, pour des millions de luthériens et de calvinistes,
pour les masses puritaines, c'était
l'Église de Rome qui se trouvait
décrite au chapitre xvii de l'*Apoca-*

lypse sous les traits de « la grande prostituée avec laquelle les rois de la terre se sont souillés ». C'était elle « la femme vêtue de pourpre et d'écarlate qui tient à la main une coupe d'or remplie d'abominations ». Ainsi pouvons-nous mesurer le chemin parcouru : d'ores et déjà les protestants et les catholiques qui s'efforcent depuis tant d'années de rapprocher les diverses confessions chrétiennes sont assurés de n'avoir pas travaillé en vain, puisque « la grande prostituée de Babylone » est redevenue, aux yeux des meilleurs parmi nos frères séparés, la vieille Église mère vers laquelle leurs regards se tournent avec une espérance invincible, espérance sans cesse déçue, il est vrai, et qui, à mon humble avis, ne peut pas ne pas être déçue.

Jusqu'au jour où les suprêmes catastrophes reconstitueront d'un seul
coup l'unique troupeau aux innombrables têtes levées vers le Signe du
Fils de l'homme apparu dans le ciel,
rien ne pourra combler cet abîme
entre nous : abîme que n'a pas creusé
la promulgation du nouveau dogme,
car il a toujours existé depuis la
révolte de Luther ; mais il est vrai
que cette promulgation le manifeste avec une évidence accrue. Il
n'existe pas d'accord possible entre
les chrétiens qui professent que rien
ne saurait être ajouté à ce qui est
écrit et nous pour qui le royaume de
Dieu est ce grain de sénevé devenu
peu à peu un grand arbre qui ne
cesse de pousser de nouvelles bran-
ches et d'indéfiniment fleurir et fruc-
tifier. Un dogme, lorsqu'il est défini,
était déjà une réalité vivante au-de-

dans des cœurs fidèles, depuis des
siècles. Le christianisme catholique
est une révélation continue, ininterrompue, et non un texte, une
lettre autour de laquelle les sectes se
disputent.

Comment les conciliabules menés
en toute bonne foi par-dessus cet
abîme eussent-ils atteint un autre
résultat que celui qui a déjà été
obtenu : cet effort de compréhension
réciproque, de charité et la conscience d'une fraternité maintenue à
travers tout ? Un chrétien protestant conçoit l'union des églises,
j'imagine, comme une sorte de ré-
conciliation où chacun mettrait du
sien pour atteindre à l'unité désirée,
ferait des concessions, renoncerait
à des prérogatives. C'est perdre de
vue que l'Église catholique ne serait
plus l'Église catholique si elle pou-

vait seulement concevoir qu'il existe
d'autres Églises en dehors d'elle
qui a reçu le pouvoir de lier et de
délier : autant vaudrait se nier elle-
même. Un théologien calviniste,
Karl Barth, l'a bien compris : il
serait inimaginable qu'elle traitât
de puissance à puissance avec ceux
qui se sont séparés d'elle. Son vœu
n'est pas que les chrétiens des diverses confessions tombent d'accord
sur certains points controversés,
mais que les hérétiques et les schis-
matiques tombent aux genoux de
Pierre pour recevoir le baiser de
paix. Cette exigence de l'Église catholique à l'égard des protestants,
beaucoup de ceux-ci la revendiquent
à leur tour à l'égard de Rome, simo-
niaque, selon eux, et idolâtre. Je ne
puis ici qu'indiquer le réseau d'équi-
voques et de malentendus dans

lequel se débattent les interlocuteurs
des deux confessions, chacun étant
l'hérétique de l'autre. Une autre
raison qui m'a toujours détourné de
me passionner pour le mouvement
œcuménique, c'est que je crois avec
Théodor Haecker que seuls les individus sont capables de se convertir.
Les Églises ne se convertissent pas.
La conversion est le drame d'une
personne, non d'une collectivité.

Mais il me suffit que le Saint-Père
nous ait permis expressément de
réciter le *Pater* en union avec nos
frères séparés. La prière en commun
crée dès maintenant la seule unité
réalisable. Lorsque le Christ nous
enseignait le *Pater*, il désignait d'a-
vance aux brebis dispersées jusqu'à
la consommation des siècles (non
selon leur choix mais selon le pâtu-
rage et la bergerie où elles sont

nées) un point de ralliement qui
suffit peut-être pour qu'aux yeux de
Dieu il n'y ait d'ores et déjà qu'un
pasteur sur la terre et dans le ciel,
et qu'un troupeau.

ACHEVÉ D'IMPRIMER
SUR LES PRESSES DES
IMPRIMERIES RÉUNIES
DE CHAMBÉRY
EN FÉVRIER MCMLVIII